easy

Currys

easy

Currys

Bath · New York · Singapore · Hong Kong · Cologne · Delhi · Melbourne

Parragon Books Ltd
Queen Street House
4 Queen Street
Bath, BA1 1HE
Royaume-Uni

Design : Mark Cavanagh
Photographies supplémentaires : Clive Bozzard-Hill
Recettes supplémentaires : Sandra Beddeley
Introduction : Anne Sheasby

Réalisation : InTexte, Toulouse

ISBN : 978-1-4075-7256-7

Imprimé en Chine
Printed in China

NOTE AU LECTEUR
Une cuillerée à soupe correspond à 15 à 20 g d'ingrédients secs et à 15 ml d'ingrédients liquides.
Une cuillerée à café correspond à 3 à 5 g d'ingrédients secs et à 5 ml d'ingrédients liquides.
Sans autre précision, le lait est entier, les œufs sont de taille moyenne et le poivre est du poivre
noir fraîchement moulu.
Les temps de préparation et de cuisson des recettes pouvant varier en fonction, notamment,
du four utilisé, ils sont donnés à titre indicatif.
La consommation des œufs crus ou peu cuits n'est pas recommandée aux enfants, aux personnes
âgées, malades ou convalescentes et aux femmes enceintes.

Sommaire

Introduction

Les currys sont associés à la gastronomie de nombreux pays orientaux, dont l'Inde, le Bangladesh, le Pakistan, le Sri Lanka, la Thaïlande, l'Indonésie et la Malaisie. D'autres régions du monde possèdent leur propre version de plats à base de curry, c'est le cas de l'Afrique du Sud, des Caraïbes, de Singapour et du Viêt Nam.

Au fil des siècles, le curry a conquis les goûts culinaires des peuples de la planète ; aujourd'hui, nombreux sont les restaurants à proposer des plats à base de curry de grande qualité. Toutefois, comme le prouve cet ouvrage, les currys sont simples et rapides à préparer chez soi. Le tout est de savoir associer les bons ingrédients et les bonnes épices, de préférence fraîches, et votre cuisine exhalera bientôt des parfums aussi exotiques qu'appétissants.

Origines

On pense que le mot curry provient du tamil *kari*, signifiant « sauce épicée ». À l'origine, ce terme désigne un mélange d'ingrédients cuits ensemble dans un liquide agrémenté d'épices, de façon à produire une sauce ou une sorte de ragoût. Mais depuis, et notamment grâce à sa diffusion à l'échelle internationale, le curry englobe un sens un peu plus large. En général, ce terme fait aujourd'hui référence à une grande variété de plats, qui sont caractérisés par un mélange d'ingrédients cuits ensemble dans une sauce épicée.

Les currys diffèrent d'une région à l'autre, certains sont crémeux et doux, tels que le korma, d'autres, comme le madras, sont plus épicés, enfin, le vindaloo est parmi les plus pimentés.

Pour agrémenter les plats, les currys sont généralement servis avec plusieurs sortes d'accompagnements savoureux, dont les pains naan, les chapatis, le riz pilaf, le chutney de mangue, le pickle de citron vert, la raïta, etc. Ces accompagnements sont sélectionnés en fonction du type de plat.

Épices

Le mélange d'épices, habituellement sous forme d'épices moulues ou de pâte, est l'élément essentiel d'un curry. Il est largement disponible dans le commerce, mais il reste préférable d'acheter les épices entières et séchées puis de les moudre ou les écraser vous-même.

Pour moudre les épices, utilisez un moulin à café électrique soigneusement nettoyé (l'idéal est de réserver l'appareil à cet usage). Vous pouvez aussi réaliser cette opération à l'aide d'un pilon et d'un mortier. Vous découvrirez que cette méthode permet aux épices d'exhaler des saveurs très aromatiques, ce qui améliorera la qualité gustative des plats. Avant de moudre les épices, vous pouvez éventuellement les faire griller à sec dans une poêle durant quelques instants pour favoriser le développement des arômes.

Le mélange d'épices utilisé pour élaborer une poudre ou une pâte de curry classique varie énormément d'une région à l'autre, les épices de base sont couramment la coriandre, le cumin, les graines de fenugrec et de moutarde, le poivre noir en grain, le curcuma, le piment, la cardamome, la cannelle, les clous de girofle, et plus rarement le gingembre moulu. Un curry peut être plus ou moins pimenté, tout dépend du goût de chacun. Préparez le curry en fonction de votre palais.

Conservation des épices

Il est conseillé d'acheter les épices en petite quantité pour garantir leur fraîcheur. Une fois réduites en poudre, les épices mélangées pourront se conserver dans un récipient hermétique jusqu'à un mois, mais en théorie, les épices moulues se détériorent assez vite. Dans la mesure du possible, moulez ou écrasez les épices à chaque nouvelle préparation culinaire.

Si vous achetez les épices moulues prêtes à l'emploi, veillez à les conserver dans un endroit sec, frais et à l'abri de la lumière. Évitez à tout prix les flacons en verre disposés sur une étagère dans la cuisine – bien que cela puisse être décoratif, c'est la pire des méthodes pour préserver les qualités des épices !

Autres ingrédients

D'autres éléments tels que les oignons, les tomates, l'ail, le gingembre frais, la noix de coco, le tamarin et la coriandre fraîche jouent un rôle important dans de nombreux currys, sans oublier les piments, frais ou séchés. Les piments verts ne sont pas arrivés à maturité, leur teinte varie jusqu'au rouge à mesure qu'ils mûrissent. La couleur du piment frais ne donne aucun indice sur la force de son arôme. Il faut plutôt examiner la taille du fruit : plus il est petit et mince, plus il sera fort. Pour réduire l'arôme d'un piment frais, coupez-le en deux dans le sens de la longueur, puis ôtez les graines avec la pointe d'un couteau ainsi que les membranes avant de l'inclure dans la préparation.

Lorsque vous manipulez des piments frais, enfilez une paire de gants jetables car les huiles contenues dans le fruit pourraient irriter la peau et les yeux. Autrement, veillez à vous laver soigneusement les mains après la préparation.

Pâte de curry rouge

1 cuil. à soupe de graines de coriandre

1 cuil. à soupe de graines de cumin

2 cuil. à café de pâte de crevettes

12 piments rouges frais ou séchés, hachés

2 échalotes, hachées

8 gousses d'ail, hachées

1 morceau de galanga frais de 2,5 cm, haché

2 tiges de citronnelle, parties blanches seulement, hachées

4 feuilles de combava, hachées

2 cuil. à soupe de racine de coriandre hachée

zeste râpé d'un citron vert

1 cuil. à café de grains de poivre

Dans une poêle à fond épais, faire griller à sec les graines de coriandre et de cumin 2 à 3 minutes sans cesser de remuer, jusqu'à ce qu'elles soient dorées. Retirer du feu et piler dans un mortier ou moudre dans un moulin à épices. Envelopper la pâte de crevettes de papier d'aluminium et passer au gril 2 à 3 minutes en retournant une ou deux fois.

Mettre les graines pilées, la pâte de crevettes et les piments dans un robot de cuisine et hacher finement. Ajouter les ingrédients restants et mixer jusqu'à obtention d'une pâte homogène, en raclant les parois du bol du robot si nécessaire.

Pâte de curry verte thaïlandaise

Suivre la recette de la pâte de curry rouge en remplaçant les piments rouges par 15 piments verts thaïlandais frais, en utilisant seulement 6 gousses d'ail, en ajoutant 2 feuilles de combava et incorporant 1 cuillerée à café de sel.

Pâte de curry jaune thaïlandaise

3 petits piments jaunes ou orange frais, concassés

3 grosses gousses d'ail, concassées

4 échalotes, concassées

3 cuil. à café de curcuma en poudre

1 cuil. à café de sel

12 à 15 grains de poivre noir

1 tige de citronnelle, partie blanche seulement, hachée

1 morceau de gingembre frais de 2,5 cm, haché

Mettre tous les ingrédients dans un robot de cuisine et réduire en pâte homogène, en raclant les parois du bol du robot si nécessaire.

Pâte de curry mussaman

4 gros piments rouges séchés

2 cuil. à café de pâte de crevettes

3 échalotes, finement hachées

3 gousses d'ail, finement hachées

1 morceau de galanga frais de 2,5 cm, finement haché

2 tiges de citronnelle, parties blanches seulement, finement hachées

2 clous de girofle

1 cuil. à soupe de graines de coriandre

1 cuil. à soupe de graines de cumin

graines de 3 gousses de cardamome

1 cuil. à café de grains de poivre noir

1 cuil. à café de sel

Mettre les piments dans une terrine, couvrir d'eau chaude et laisser tremper 30 à 45 minutes. Envelopper la pâte de crevettes de papier d'aluminium et passer au gril 2 à 3 minutes, en retournant une ou deux fois. Faire griller à sec les échalotes, l'ail, le galanga, la citronnelle, les clous de girofle, la coriandre, le cumin et les graines de cardamome 3 à 4 minutes à feu doux en remuant de temps en temps. Transférer dans un robot de cuisine et hacher finement le tout. Ajouter les piments et leur liquide de trempage, les grains de poivre et le sel, et mixer de nouveau jusqu'à obtention d'une pâte homogène, en raclant les parois du bol du robot si nécessaire.

Pâte de gingembre et d'ail

Mélanger une quantité équivalente d'ail et de gingembre frais. Conserver dans un bocal hermétique jusqu'à 3 semaines au réfrigérateur, ou 1 mois au congélateur.

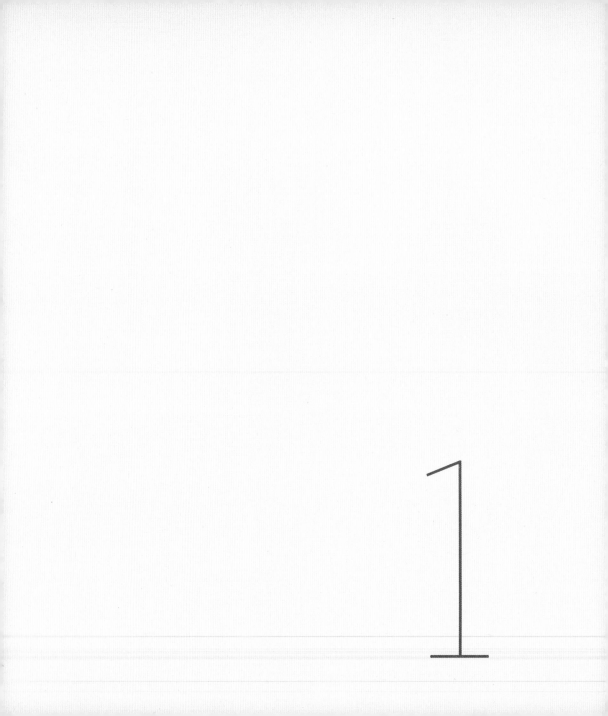

Viandes
et volailles

Poulet tikka masala

Pour 4 à 6 personnes

30 g de ghee
ou 2 cuil. à soupe
d'huile végétale

1 grosse gousse d'ail,
finement hachée

1 piment rouge frais,
épépiné et haché

2 cuil. à café de cumin
en poudre

2 cuil. à café de paprika

400 g de tomates
concassées en boîte

300 ml de crème fraîche
épaisse

8 morceaux de poulet cuit

sel et poivre

brins de coriandre fraîche,
en garniture

Pour préparer le tikka masala, chauffer le ghee dans une grande poêle à feu moyen, ajouter l'ail et le piment, et faire revenir 1 minute. Incorporer le cumin et le paprika, saler et poivrer à volonté et faire revenir encore 30 secondes.

Incorporer les tomates concassées avec leur jus et la crème fraîche. Réduire le feu et laisser mijoter environ 10 minutes en remuant souvent, jusqu'à ce que la sauce ait réduit et épaissi.

Pendant ce temps, désosser le poulet et ôter la peau si nécessaire. Couper la chair en cubes.

Rectifier l'assaisonnement de la sauce, ajouter le poulet dans la poêle et couvrir. Laisser mijoter 3 à 5 minutes, jusqu'à ce que le poulet soit bien chaud. Parsemer de brins de coriandre fraîche.

Poulet korma

Pour 4 personnes

1 poulet de 1,3 kg

225 g de beurre

3 oignons, finement émincés

1 gousse d'ail, hachée

1 morceau de gingembre frais de 2,5 cm, râpé

1 cuil. à café de poudre de piment douce

1 cuil. à café de curcuma en poudre

1 cuil. à café de coriandre en poudre

½ cuil. à café de cardamome en poudre

½ cuil. à café de cannelle en poudre

½ cuil. à café de sel

1 cuil. à soupe de farine de pois chiches

125 ml de lait

500 ml de crème fraîche épaisse

feuilles de coriandre fraîche, en garniture

riz, en accompagnement

Dans une grande casserole, mettre le poulet, couvrir d'eau et porter à ébullition. Réduire le feu, couvrir et laisser mijoter 30 minutes. Retirer du feu, égoutter le poulet et laisser refroidir. Réserver 120 ml du liquide de cuisson. Désosser le poulet, ôter la peau et couper la chair en cubes.

Dans une grande casserole, chauffer le beurre à feu moyen, ajouter les oignons et l'ail, et cuire 3 minutes sans cesser de remuer, jusqu'à ce qu'ils soient tendres. Ajouter le gingembre, la poudre de piment, le curcuma, la coriandre en poudre, la cardamome, la cannelle et le sel, et cuire encore 5 minutes. Ajouter le poulet et le liquide de cuisson réservé, et cuire encore 2 minutes.

Délayer la farine de pois chiches dans un peu de lait, ajouter dans la casserole et incorporer le lait restant. Porter à ébullition sans cesser de remuer et réduire le feu. Couvrir et laisser mijoter 25 minutes. Incorporer la crème fraîche, couvrir et laisser mijoter encore 15 minutes.

Garnir de feuilles de coriandre fraîche et servir accompagné de riz blanc.

Poulet jalfrezi

Pour 4 personnes

½ cuil. à café de graines
de cumin

½ cuil. à café de graines
de coriandre

1 cuil. à café d'huile
de moutarde

3 cuil. à soupe d'huile
végétale

1 gros oignon, finement
haché

3 gousses d'ail, hachées

1 cuil. à soupe de concentré
de tomates

2 tomates, mondées
et hachées

1 cuil. à café de curcuma
en poudre

½ cuil. à café de poudre
de piment

½ cuil. à café de garam
masala

1 cuil. à café de vinaigre
de vin rouge

1 petit poivron rouge,
épépiné et haché

125 g de fèves surgelées

500 g de poulet cuit, haché

sel

brins de coriandre fraîche,
en garniture

riz, en accompagnement

Piler les graines de cumin et de coriandre dans un mortier à l'aide d'un pilon. Dans une grande poêle à fond épais, chauffer l'huile de moutarde 1 minute à feu vif, jusqu'à ce qu'elle soit fumante. Ajouter l'huile végétale, réduire le feu et ajouter l'oignon et l'ail. Cuire 10 minutes, jusqu'à ce qu'ils soient dorés.

Ajouter le concentré de tomates, les tomates, le curcuma, la poudre de piment, le garam masala, le vinaigre et les graines de cumin et de coriandre pilées. Faire revenir sans cesser de remuer jusqu'à ce que les arômes se développent.

Ajouter le poivron et les fèves, et faire revenir 2 minutes, jusqu'à ce que le poivron soit tendre. Incorporer le poulet, saler à volonté et laisser mijoter 6 à 8 minutes, jusqu'à ce que le poulet soit bien chaud et les fèves tendres. Transférer dans un plat de service chaud, garnir de brins de coriandre et servir accompagné de riz blanc.

Curry de poulet thaïlandais

Pour 4 personnes

2 cuil. à soupe d'huile
d'arachide ou de maïs

2 cuil. à soupe de pâte
de curry verte
thaïlandaise

500 g de blancs de poulet,
coupés en cubes

2 feuilles de combava,
ciselées

1 tige de citronnelle,
finement hachée

225 ml de lait de coco

16 mini-aubergines,
coupées en deux

2 cuil. à soupe de sauce
de poisson thaïlandaise

brins de basilic
thaïlandais frais
et feuilles de combava
ciselées, en garniture

Chauffer l'huile dans un wok préchauffé ou une poêle à fond épais, ajouter la pâte de curry et faire revenir brièvement de sorte que les arômes se développent.

Ajouter le poulet, les feuilles de combava et la citronnelle, et faire revenir 3 à 4 minutes, jusqu'à ce que la viande soit dorée. Mouiller avec le lait de coco, ajouter les aubergines et faire revenir 8 à 10 minutes à feu doux, jusqu'à ce que le poulet soit tendre.

Incorporer la sauce de poisson et servir immédiatement, garni de brins de basilic thaïlandais et de feuilles de combava ciselées.

Poulet balti

Pour 6 personnes

3 cuil. à soupe de ghee
ou d'huile végétale

2 gros oignons, émincés

3 tomates, concassées

½ cuil. à café de graines
de nigelle

4 grains de poivre noir

2 gousses de cardamome

1 bâton de cannelle

1 cuil. à café de poudre
de piment

1 cuil. à café
de garam masala

2 cuil. à café de pâte
de gingembre et d'ail

700 g de blancs de poulet,
coupés en dés

2 cuil. à soupe de yaourt
nature

2 cuil. à soupe de coriandre
fraîche hachée,
plus quelques brins
pour la garniture

2 piments verts frais,
épépinés et finement
hachés

2 cuil. à soupe de jus
de citron vert

sel

Dans une grande poêle à fond épais, chauffer le ghee, ajouter les oignons et cuire 10 minutes à feu doux en remuant de temps en temps, jusqu'à ce qu'ils soient dorés. Ajouter les tomates, les graines de nigelle, les grains de poivre, les gousses de cardamome, le bâton de cannelle, la poudre de piment, le garam masala et la pâte de gingembre et d'ail, et saler à volonté. Cuire 5 minutes sans cesser de remuer.

Ajouter le poulet et cuire 5 minutes sans cesser de remuer, jusqu'à ce qu'il soit bien enrobé de sauce. Incorporer le yaourt, couvrir et laisser mijoter 10 minutes en remuant de temps en temps.

Incorporer la coriandre fraîche hachée, les piments et le jus de citron vert. Transférer dans un plat de service chaud, garnir de brins de coriandre et servir immédiatement.

Agneau rogan josh

300 ml de yaourt nature

½ cuil. à café d'asa foetida,
dissoute dans
2 cuil. à soupe d'eau

700 g de viande d'agneau,
dégraissée et coupée
en cubes de 2,5 cm

2 tomates, épépinées
et concassées

1 oignon, haché

2 cuil. à soupe de ghee
ou d'huile végétale
ou d'arachide

1½ cuil. à soupe de pâte
de gingembre et d'ail

2 cuil. à soupe de concentré
de tomates

2 feuilles de laurier

1 cuil. à soupe de coriandre
en poudre

¼ à 1 cuil. à café de poudre
de piment

½ cuil. à café de curcuma
en poudre

1 cuil. à café de sel

½ cuil. à café de garam
masala

Dans une terrine, mettre le yaourt, l'asa foetida et la viande, et mélanger avec les mains de façon à bien enrober la viande. Laisser reposer 30 minutes.

Pendant ce temps, mettre les tomates et l'oignon dans un robot de cuisine et mixer jusqu'à ce que le tout soit haché. Dans une cocotte ou une grande poêle, chauffer le ghee, ajouter la pâte de gingembre et d'ail, et faire revenir brièvement de sorte que les arômes se développent.

Incorporer les tomates et l'oignon hachés, le concentré de tomates, les feuilles de laurier, la coriandre, la poudre de piment et le curcuma, réduire le feu et laisser mijoter 5 à 8 minutes en remuant de temps en temps.

Ajouter la viande et sa marinade, incorporer le sel et faire revenir 2 minutes. Couvrir, réduire le feu et laisser mijoter 30 minutes en remuant de temps en temps. Ajouter un peu d'eau si la préparation semble trop sèche.

Saupoudrer l'agneau de garam masala, couvrir et laisser mijoter encore 15 à 20 minutes, jusqu'à ce que l'agneau soit tendre. Servir immédiatement.

Curry d'agneau aux aubergines

Pour 4 personnes

2 cuil. à soupe d'huile

500 g de filet ou de gigot d'agneau, coupés en cubes

1 gros oignon, grossièrement haché

2 à 3 cuil. à soupe de pâte de curry rouge thaïlandaise

1 aubergine, coupée en dés

10 tomates, mondées, épépinées et concassées

400 ml de lait de coco

300 ml de bouillon d'agneau

2 cuil. à soupe de coriandre fraîche hachée, plus quelques brins pour la garniture

Dans une grande poêle, chauffer l'huile, ajouter quelques cubes d'agneau et cuire 8 à 10 minutes, jusqu'à ce qu'ils soient uniformément dorés. Retirer de la poêle à l'aide d'une écumoire et répéter l'opération avec les cubes d'agneau restants. Réserver.

Dans la poêle, mettre l'oignon et cuire 2 à 3 minutes, jusqu'à ce qu'il soit tendre. Ajouter la pâte de curry et faire revenir 2 minutes. Ajouter l'aubergine, les trois quarts des tomates et l'agneau, et bien mélanger le tout.

Mouiller avec le lait de coco et le bouillon, et laisser mijoter 30 à 40 minutes à feu doux, jusqu'à ce que l'agneau soit tendre et que la sauce ait épaissi.

Mélanger les tomates restantes et la coriandre hachée, incorporer au curry et servir immédiatement, garni de brins de coriandre fraîche.

Agneau do piaza

Pour 4 personnes

4 oignons, coupés en rouelles

3 gousses d'ail, grossièrement hachées

1 morceau de gingembre frais de 2,5 cm, râpé

1 cuil. à café de coriandre en poudre

1 cuil. à café de cumin en poudre

1 cuil. à café de poudre de piment

½ cuil. à café de curcuma en poudre

1 cuil. à café de cannelle en poudre

1 cuil. à café de garam masala

4 cuil. à soupe d'eau

5 cuil. à soupe de ghee ou de beurre clarifié

680 g de viande d'agneau désossée, coupée en cubes

6 cuil. à soupe de yaourt nature

sel et poivre

feuilles de coriandre fraîche, pour la garniture

riz, en accompagnement

Dans un robot de cuisine, mettre la moitié des oignons, l'ail, le gingembre, la coriandre en poudre, le cumin, la poudre de piment, le curcuma, la cannelle et le garam masala. Ajouter l'eau et mixer jusqu'à obtention d'une pâte.

Dans une poêle, faire fondre 4 cuillerées à soupe de ghee à feu moyen, ajouter les oignons restants et cuire 3 minutes sans cesser de remuer. Retirer du feu, ôter les oignons de la poêle à l'aide d'une écumoire et réserver. Dans la poêle, faire fondre le ghee restant à feu vif, ajouter l'agneau et cuire 5 minutes sans cesser de remuer. Ôter la viande de la poêle à l'aide d'une écumoire et égoutter sur du papier absorbant.

Mettre la pâte à base d'oignons dans la poêle et cuire à feu moyen sans cesser de remuer jusqu'à ce que l'huile se dissocie. Incorporer le yaourt, saler et poivrer à volonté. Remettre la viande dans la poêle et bien mélanger.

Porter la préparation à ébullition, réduire le feu et couvrir. Laisser mijoter 25 minutes, incorporer les oignons réservés et cuire encore 5 minutes. Retirer du feu et garnir de feuilles de coriandre fraîche. Servir immédiatement accompagné de riz blanc.

Agneau pasanda

Pour 4 à 6 personnes

600 g d'épaule d'agneau désossée

2 cuil. à soupe de pâte de gingembre et d'ail

4 cuil. à soupe de ghee ou d'huile végétale ou d'arachide

3 gros oignons, hachés

1 piment vert frais, épépiné et finement haché

2 gousses de cardamome, légèrement pilées

1 bâton de cannelle, cassé en deux

2 cuil. à café de coriandre en poudre

1 cuil. à café de cumin en poudre

1 cuil. à café de curcuma en poudre

250 ml d'eau

150 ml de crème fraîche épaisse

4 cuil. à soupe de poudre d'amandes

1½ cuil. à café de sel

1 cuil. à café de garam masala

paprika et amandes effilées grillées, pour la garniture

riz, en accompagnement

Couper la viande en fines tranches, envelopper de film alimentaire et attendrir à l'aide d'un rouleau à pâtisserie ou d'un maillet à viande. Ôter le film alimentaire, transférer dans une jatte et enrober de pâte de gingembre et d'ail avec les mains. Couvrir et laisser mariner 2 heures à l'abri de la chaleur.

Dans une grande poêle, chauffer le ghee à feu moyen à vif, ajouter les oignons et le piment, et faire revenir 5 à 8 minutes en remuant souvent, jusqu'à ce que les oignons soient dorés.

Incorporer les gousses de cardamome, le bâton de cannelle, la coriandre, le cumin et le curcuma, et faire revenir encore 2 minutes sans cesser de remuer, jusqu'à ce que les arômes se développent.

Ajouter la viande dans la poêle et cuire 5 minutes en remuant de temps en temps, jusqu'à ce qu'elle soit uniformément dorée. Ajouter l'eau et porter à ébullition sans cesser de remuer. Réduire le feu, couvrir hermétiquement et laisser mijoter 40 minutes, jusqu'à ce que la viande soit tendre.

Dans un bol, mélanger la poudre d'amandes et la crème fraîche, ajouter 6 cuillerées à soupe de jus de cuisson prélevé dans la poêle et reverser le tout progressivement dans la poêle. Incorporer le sel et le garam masala, et cuire encore 5 minutes sans couvrir en remuant de temps en temps.

Garnir de paprika et d'amandes effilées grillées, et servir accompagné de riz blanc.

Agneau
aux épinards

Pour 2 à 4 personnes

300 ml d'huile végétale

2 oignons, émincés

¼ de botte de coriandre fraîche

2 piments verts frais, épépinés

1½ cuil. à café de gingembre frais finement haché

1½ cuil. à café d'ail frais haché

1 cuil. à café de poudre de piment

½ cuil. à café de curcuma en poudre

450 g de viande d'agneau, coupée en cubes

1 cuil. à café de sel

1 kg d'épinards frais, parés, rincés et grossièrement hachés

700 ml d'eau

1 piment rouge frais, finement haché, pour la garniture

Dans une grande poêle à fond épais, chauffer l'huile, ajouter les oignons et faire revenir jusqu'à ce qu'ils soient dorés.

Ajouter la coriandre fraîche et les piments verts, et faire revenir 3 à 5 minutes. Réduire le feu, ajouter le gingembre, l'ail, la poudre de piment et le curcuma, et bien mélanger.

Ajouter l'agneau et faire revenir encore 5 minutes. Ajouter le sel et les épinards, et cuire 3 à 5 minutes en remuant de temps en temps à l'aide d'une cuillère en bois.

Ajouter l'eau, bien mélanger et couvrir. Cuire 45 minutes à feu doux, retirer le couvercle et tester la cuisson de la viande. Si celle-ci n'est pas assez tendre, la retourner, augmenter le feu et cuire sans couvrir jusqu'à ce que toute l'eau soit absorbée. Faire revenir encore 5 à 7 minutes.

Transférer la préparation dans un plat de service chaud et garnir de piment rouge frais haché. Servir chaud.

Porc à la cannelle et au fenugrec

Pour 4 personnes

1 cuil. à café de coriandre en poudre

1 cuil. à café de cumin en poudre

1 cuil. à café de poudre de piment

1 cuil. à soupe de feuilles de fenugrec séchées (methi)

1 cuil. à café de fenugrec en poudre

150 ml de yaourt nature

450 g de viande de porc, coupée en dés

4 cuil. à soupe de ghee ou d'huile végétale

1 gros oignon, émincé

1 morceau de gingembre frais de 5 cm, haché

4 gousses d'ail, finement hachées

1 bâton de cannelle

6 gousses de cardamome

6 clous de girofle

2 feuilles de laurier

175 ml d'eau

sel

Mélanger la coriandre, le cumin, la poudre de piment, les feuilles de fenugrec séchées, le fenugrec en poudre et le yaourt dans un petit bol. Mettre la viande dans une terrine profonde non métallique, ajouter le mélange précédent et bien enrober la viande. Couvrir de film alimentaire et laisser mariner 30 minutes au réfrigérateur.

Dans une grande poêle à fond épais, chauffer le ghee, ajouter l'oignon et cuire 5 minutes en remuant de temps en temps, jusqu'à ce qu'il soit tendre. Ajouter le gingembre, l'ail, le bâton de cannelle, les gousses de cardamome, les clous de girofle et les feuilles de laurier, et faire revenir 2 minutes sans cesser de remuer, jusqu'à ce que les arômes se développent. Ajouter la viande avec la marinade et l'eau, et saler à volonté. Porter à ébullition, réduire le feu et couvrir. Laisser mijoter 30 minutes.

Transférer la préparation obtenue dans un wok préchauffé ou une grande poêle à fond épais et cuire à feu doux sans cesser de remuer jusqu'à ce que la viande soit sèche et tendre. Asperger d'eau de temps à autre si la préparation attache. Servir immédiatement.

Curry rouge de porc

Pour 4 personnes

2 cuil. à soupe d'huile
végétale ou d'arachide

1 oignon, grossièrement
haché

2 gousses d'ail, hachées

450 g de viande de porc,
coupée en cubes

1 poivron rouge, épépiné
et coupé en quartiers

175 g de champignons
de Paris, coupés
en quartiers

2 cuil. à soupe de pâte
de curry rouge
thaïlandaise

115 g de crème de coco
en bloc, râpée

1 cuil. à café de bouillon
de légumes en poudre

2 cuil. à soupe de sauce
de soja thaïlandaise

4 tomates, mondées,
épépinées et concassées

1 poignée de feuilles
de coriandre fraîche,
hachée

Dans un wok ou une grande poêle, chauffer l'huile, ajouter l'oignon et l'ail, et faire revenir 1 à 2 minutes, jusqu'à ce qu'ils soient tendres sans avoir bruni.

Ajouter la viande et faire revenir 2 à 3 minutes, jusqu'à ce qu'elle soit uniformément dorée. Ajouter le poivron, les champignons et la pâte de curry.

Ajouter la crème de coco, le bouillon en poudre et la sauce de soja, et porter à ébullition. Laisser mijoter 4 à 5 minutes, jusqu'à ce que la sauce ait réduit et épaissi.

Ajouter les tomates et la coriandre, et cuire encore 1 à 2 minutes avant de servir.

Porc vindaloo

Pour 4 à 6 personnes

4 cuil. à soupe d'huile de moutarde

2 gros oignons, finement hachés

6 feuilles de laurier

6 clous de girofle

6 gousses d'ail, hachées

3 gousses de cardamome, légèrement pilées

1 ou 2 petits piments rouges frais, finement hachés

2 cuil. à soupe de cumin en poudre

½ cuil. à café de sel

½ cuil. à café de curcuma en poudre

2 cuil. à soupe de vinaigre de cidre

2 cuil. à soupe d'eau

1 cuil. à soupe de concentré de tomates

700 g de viande de porc, coupée en cubes de 5 cm

Dans une grande poêle, chauffer l'huile de moutarde jusqu'à ce qu'elle soit fumante. Éteindre le feu et laisser l'huile refroidir complètement.

Réchauffer l'huile à feu moyen à vif, ajouter les oignons et faire revenir 5 à 8 minutes en remuant souvent, jusqu'à ce qu'ils soient tendres sans avoir doré.

Ajouter les feuilles de laurier, les clous de girofle, l'ail, les gousses de cardamome, les piments, le cumin, le sel, le curcuma et 1 cuillerée à soupe de vinaigre, et bien mélanger le tout. Ajouter l'eau, couvrir et laisser mijoter 1 minute, jusqu'à ce que l'eau soit absorbée et que la graisse se dissocie.

Délayer le concentré de tomates dans le vinaigre restant et incorporer dans la poêle. Ajouter la viande et mélanger.

Ajouter juste assez d'eau pour couvrir le porc et porter à ébullition. Réduire le feu, couvrir hermétiquement et laisser mijoter 40 minutes à 1 heure, jusqu'à ce que le porc soit tendre.

Si le porc est tendre et qu'il reste trop de liquide dans la poêle, retirer le porc de la poêle à l'aide d'une écumoire et porter le liquide à ébullition de sorte qu'il réduise. Remettre le porc dans la poêle et réchauffer. Transférer dans un plat de service chaud et servir immédiatement.

Bœuf madras

Pour 4 à 6 personnes

1 ou 2 piments rouges
séchés

2 cuil. à café de coriandre
en poudre

2 cuil. à café de curcuma
en poudre

1 cuil. à café de graines
de moutarde noires

½ cuil. à café de gingembre
en poudre

¼ de cuil. à café de poivre
noir du moulin

140 g de crème de coco
déshydratée, râpée
et délayée dans
300 ml d'eau bouillante

4 cuil. à soupe de ghee
ou d'huile végétale

2 oignons, hachés

3 gousses d'ail, hachées

700 g de bœuf à braiser,
coupé en cubes de 5 cm

250 ml de bouillon de bœuf

jus de citron

sel

brins de coriandre fraîche,
pour la garniture

riz, en accompagnement

Hacher les piments avec ou sans les graines, selon les goûts. Plus le nombre de graines est élevé, plus le plat sera relevé. Mettre les piments hachés dans un bol, ajouter la coriandre, le curcuma, les graines de moutarde, le gingembre et le poivre, et incorporer un peu de crème de coco délayée de façon à obtenir une pâte fluide.

Dans une grande poêle, chauffer le ghee à feu moyen à vif, ajouter les oignons et l'ail, et faire revenir 5 à 8 minutes en remuant souvent, jusqu'à ce que les oignons soient dorés. Ajouter la préparation précédente et faire revenir 2 minutes sans cesser de remuer, jusqu'à ce que les arômes se développent.

Ajouter la viande et le bouillon, et porter à ébullition. Réduire le feu, couvrir et laisser mijoter 1 h 30, jusqu'à ce que le bœuf soit tendre. Ajouter un peu d'eau ou de bouillon en cours de cuisson si la viande attache.

Retirer le couvercle et incorporer la crème de coco délayée restante avec du jus de citron et du sel. Porter à ébullition sans cesser de remuer, réduire le feu et laisser mijoter sans couvrir jusqu'à ce que la sauce réduise légèrement. Garnir de brins de coriandre et servir accompagné de riz blanc.

Curry de bœuf balti

Pour 4 personnes

2 cuil. à soupe de ghee
ou d'huile végétale

1 oignon, finement émincé

1 gousse d'ail, finement
hachée

1 morceau de gingembre
frais de 3 cm, râpé

2 piments rouges frais,
épépinés et finement
hachés

450 g de steak, coupé
en lanières

1 poivron vert, épépiné
et coupé en lanières

1 poivron jaune, épépiné
et coupé en lanières

1 cuil. à café de cumin
en poudre

1 cuil. à soupe de garam
masala

4 tomates, concassées

2 cuil. à soupe de jus
de citron

1 cuil. à soupe d'eau

sel

coriandre fraîche hachée,
pour la garniture

Dans un wok préchauffé ou une poêle à fond épais, chauffer 1 cuillerée à soupe de ghee, ajouter l'oignon et cuire 8 à 10 minutes à feu doux en remuant de temps en temps, jusqu'à ce qu'il soit doré. Augmenter le feu, ajouter l'ail, le gingembre, les piments et la viande, et cuire 5 minutes en remuant de temps en temps, jusqu'à ce que la viande soit uniformément dorée. Retirer le tout du wok à l'aide d'une écumoire et réserver au chaud.

Mettre le ghee restant et les poivrons dans le wok et cuire 4 minutes à feu moyen en remuant de temps en temps, jusqu'à ce que les poivrons soient tendres. Incorporer le cumin et le garam masala, et cuire 1 minute sans cesser de remuer.

Ajouter les tomates, le jus de citron et l'eau, saler et laisser mijoter 3 minutes sans cesser de remuer. Remettre la préparation à base de viande dans le wok et réchauffer le tout. Transférer dans un plat de service chaud, garnir de coriandre et servir immédiatement.

Curry de bœuf à la noix de coco

Pour 4 personnes

1 cuil. à soupe de coriandre en poudre

1 cuil. à soupe de cumin en poudre

3 cuil. à soupe de pâte de curry mussaman

150 ml d'eau

75 ml de crème de coco

450 g de viande de bœuf, coupée en lanières

400 ml de lait de coco

50 g de cacahuètes non salées, concassées

2 cuil. à soupe de sauce de poisson

1 cuil. à café de sucre roux

4 feuilles de combava

Mélanger la coriandre, le cumin et la pâte de curry dans un bol. Verser l'eau et la crème de coco dans une casserole et porter à ébullition. Ajouter le mélange précédent et laisser mijoter 1 minute.

Ajouter le bœuf et laisser mijoter 6 à 8 minutes. Ajouter le lait de coco, les cacahuètes, la sauce de poisson et le sucre, et laisser mijoter 15 à 20 minutes, jusqu'à ce que la viande soit tendre.

Ajouter les feuilles de combava et laisser mijoter 1 à 2 minutes. Servir chaud.

Bœuf korma aux amandes

Pour 6 personnes

300 ml d'huile végétale

3 oignons, finement hachés

1 kg de viande de bœuf, coupée en cubes

1½ cuil. à café de garam masala

1½ cuil. à café de coriandre en poudre

1½ cuil. à café de gingembre frais finement haché

1½ cuil. à café d'ail frais haché

1 cuil. à café de sel

150 ml de yaourt nature

2 clous de girofle

3 gousses de cardamome

4 grains de poivre noir

600 ml d'eau

chapatis, en accompagnement

Garniture

amandes mondées, concassées

rondelles de piment vert frais

coriandre fraîche, hachée

Dans une grande poêle à fond épais, chauffer l'huile, ajouter les oignons et faire frire 8 à 10 minutes, jusqu'à ce qu'ils soient dorés. Retirer la moitié des oignons de la poêle et réserver.

Ajouter la viande dans la poêle et faire revenir 5 minutes. Retirer la poêle du feu. Dans une terrine, mélanger le garam masala, la coriandre en poudre, le gingembre, l'ail, le sel et le yaourt, et incorporer progressivement la viande de sorte qu'elle soit bien enrobée du mélange. Transférer le tout dans la poêle et cuire 5 à 7 minutes, jusqu'à ce que la préparation soit presque brune.

Ajouter les clous de girofle, les gousses de cardamome, les grains de poivre et l'eau, et réduire le feu. Couvrir et laisser mijoter 45 minutes à 1 heure. Si toute l'eau s'est évaporée et que la viande n'est pas encore totalement cuite, ajouter encore 300 ml d'eau et cuire 10 à 15 minutes supplémentaires en remuant de temps en temps. Transférer dans un plat de service chaud et garnir des oignons réservés, d'amandes concassées, de piments et de coriandre fraîche. Servir accompagné de chapatis.

Bœuf dhansak

Pour 6 personnes

2 cuil. à soupe de ghee
ou d'huile végétale

2 oignons, hachés

3 gousses d'ail, finement
hachées

2 cuil. à café de coriandre
en poudre

2 cuil. à café de cumin
en poudre

2 cuil. à café de garam
masala

1 cuil. à café de curcuma
en poudre

450 g de courgettes, pelées
et hachées,
ou de citrouille, pelée,
épépinée et hachée

1 aubergine, pelée
et hachée

4 feuilles de curry

225 g de masoor dal
(lentilles rouges)

1 l d'eau

1 kg de bœuf à braiser,
coupé en cubes

sel

feuilles de coriandre
fraîche, pour la garniture

Dans une grande poêle à fond épais, chauffer le ghee, ajouter les oignons et l'ail, et cuire 8 à 10 minutes à feu doux en remuant de temps en temps, jusqu'à ce qu'ils soient légèrement dorés. Incorporer la coriandre en poudre, le cumin, le garam masala et le curcuma, et cuire 2 minutes sans cesser de remuer.

Ajouter les courgettes, l'aubergine, les feuilles de curry, le masoor dal et l'eau, porter à ébullition et réduire le feu. Couvrir et laisser mijoter 30 minutes, jusqu'à ce que les légumes soient tendres. Retirer la poêle du feu et laisser tiédir. Transférer la préparation dans un robot de cuisine et réduire en purée homogène. Remettre la préparation dans la poêle et saler à volonté.

Ajouter la viande, porter à ébullition et réduire le feu. Couvrir et laisser mijoter 1 h 15. Retirer le couvercle et laisser mijoter encore 30 minutes, jusqu'à ce que la sauce soit épaisse et la viande tendre. Servir garni de feuilles de coriandre.

Poissons et fruits de mer

Curry de fruits de mer

Pour 4 personnes

1 cuil. à soupe d'huile
végétale ou d'arachide

3 échalotes, finement
hachées

1 morceau de galanga frais
de 2,5 cm, pelé et coupé
en fines rondelles

2 gousses d'ail, finement
hachées

400 ml de lait de coco

2 tiges de citronnelle,
pliées en deux

4 cuil. à soupe de sauce
de poisson thaïlandaise

2 cuil. à soupe de sauce
au piment

225 g de grosses crevettes,
décortiquées et déveinées

225 g de petits calmars,
parés et coupés
en rondelles

225 g de filets de saumon,
sans la peau et coupés
en cubes

175 g de steaks de thon,
coupés en cubes

225 g de moules fraîches,
grattées et ébarbées

ciboulette chinoise fraîche,
pour la garniture

riz, en accompagnement

Dans un grand wok, chauffer l'huile, ajouter les échalotes,
le galanga et l'ail, et faire revenir 1 à 2 minutes, jusqu'à
ce qu'ils soient juste tendres. Mouiller avec le lait de coco,
ajouter la citronnelle, la sauce de poisson et la sauce
au piment, et porter à ébullition. Réduire le feu et laisser
mijoter 1 à 2 minutes.

Ajouter les crevettes, les calmars, le saumon et le thon,
et laisser mijoter 3 à 4 minutes, jusqu'à ce que les crevettes
soient roses et que le poisson soit cuit.

Jeter les moules dont la coquille est cassée ou qui ne
se ferment pas au toucher. Ajouter les moules restantes
dans le wok, couvrir et laisser mijoter 1 à 2 minutes,
jusqu'à ce qu'elles soient ouvertes. Jeter les moules qui
ne se sont pas ouvertes. Garnir de ciboulette chinoise
et servir immédiatement, accompagné de riz blanc.

Curry de poisson aux nouilles de riz

Pour 4 personnes

2 cuil. à soupe d'huile végétale ou d'arachide

1 gros oignon, haché

2 gousses d'ail, hachées

85 g de champignons de Paris

225 g de lotte, coupée en cubes de 2,5 cm

225 g de filets de saumon, coupés en cubes de 2,5 cm

225 g de cabillaud, coupé en cubes de 2,5 cm

2 cuil. à soupe de pâte de curry rouge thaïlandaise

400 ml de lait de coco

1 poignée de coriandre fraîche hachée, un peu plus pour la garniture

1 cuil. à café de sucre roux

1 cuil. à café de sauce de poisson thaïlandaise

115 g de nouilles de riz

3 oignons verts, hachés

55 g de pousses de soja

quelques feuilles de basilic thaïlandais frais

Dans un wok ou une grande poêle, chauffer l'huile, ajouter l'oignon, l'ail et les champignons, et faire revenir jusqu'à ce qu'ils soient tendres sans être dorés.

Ajouter le poisson, la pâte de curry et le lait de coco, et porter à ébullition à feu doux. Laisser mijoter 2 à 3 minutes et ajouter la coriandre, le sucre roux et la sauce de poisson. Réserver au chaud.

Pendant ce temps, faire tremper les nouilles 3 à 4 minutes (selon les instructions figurant sur le paquet), jusqu'à ce qu'elles soient tendres. Égoutter dans une passoire et placer la passoire contenant les nouilles sur une casserole d'eau frémissante. Ajouter les oignons verts, les pousses de soja et le basilic dans la passoire, et cuire à la vapeur 1 à 2 minutes.

Transférer les nouilles sur un plat de service et garnir de curry de poisson. Parsemer de coriandre et de basilic, et servir immédiatement.

Fruits de mer au lait de coco

Pour 4 personnes

2 cuil. à soupe d'huile végétale ou d'arachide

6 oignons verts, grossièrement hachés

1 morceau de gingembre frais de 2,5 cm, haché

2 à 3 cuil. à soupe de pâte de curry rouge thaïlandais

400 ml de lait de coco

150 ml de fumet de poisson

4 feuilles de combava

1 tige de citronnelle, coupée en deux

350 g de filets de poisson à chair blanche, sans la peau, coupés en cubes

225 g d'anneaux et de tentacules de calmars

225 g de grosses crevettes cuites décortiquées

1 cuil. à soupe de sauce de poisson

2 cuil. à soupe de sauce de soja thaïlandaise

4 cuil. à soupe de ciboulette chinoise fraîche hachée

Dans un wok ou une grande poêle, chauffer l'huile, ajouter les oignons verts et le gingembre, et faire revenir 1 à 2 minutes. Ajouter la pâte de curry et faire revenir encore 1 à 2 minutes.

Mouiller avec le lait de coco et le fumet de poisson, ajouter les feuilles de combava et la citronnelle, et porter à ébullition. Réduire le feu et laisser mijoter 1 minute.

Ajouter le poisson, le calmar et les crevettes, et laisser mijoter 2 à 3 minutes, jusqu'à ce que le poisson soit cuit. Ajouter la sauce de poisson et la sauce de soja, incorporer la ciboulette et servir immédiatement.

Curry de fruits de mer à la mode de Goan

Pour 4 à 6 personnes

3 cuil. à soupe d'huile
végétale ou d'arachide

1 cuil. à soupe de graines
de moutarde noires

12 feuilles de curry fraîches
ou 1 cuil. à soupe de
feuilles de curry séchées

6 échalotes, hachées

1 gousse d'ail, hachée

1 cuil. à café de curcuma
en poudre

½ cuil. à café de coriandre
en poudre

¼ à ½ cuil. à café
de poudre de piment

140 g de crème de coco,
râpée et délayée dans
300 ml d'eau bouillante

500 g de filets de poisson
à chair blanche, sans
la peau, coupés en cubes

450 g de grosses crevettes
crues, décortiquées
et déveinées

jus et zeste finement râpé
d'un citron vert

sel

rondelles de citron vert,
en garniture

Dans un kadhai, un wok ou une grande poêle, chauffer l'huile à feu vif, ajouter les graines de moutarde et faire griller 1 minute, jusqu'à ce qu'elles éclatent. Ajouter les feuilles de curry.

Ajouter les échalotes et l'ail, et faire revenir 5 minutes sans cesser de remuer, jusqu'à ce que les échalotes soient dorées. Incorporer le curcuma, la coriandre et la poudre de piment, et faire revenir encore 30 secondes sans cesser de remuer.

Mouiller avec la crème de coco, porter à ébullition et réduire le feu. Chauffer 2 minutes sans cesser de remuer.

Réduire le feu, ajouter le poisson et laisser mijoter 1 minute en l'arrosant délicatement de sauce. Ajouter les crevettes et cuire encore 4 à 5 minutes, jusqu'à ce que le poisson s'effeuille et que les crevettes soient bien roses.

Ajouter du jus de citron vert et saler à volonté. Parsemer de zeste de citron vert et garnir de rondelles de citron vert.

Poisson du Bengale

Pour 4 à 8 personnes

1 cuil. à café de curcuma
en poudre

1 cuil. à café de sel

6 cuil. à soupe d'huile
de moutarde

1 kg de filets de lotte
ou de cabillaud,
sans la peau et coupés
en cubes

4 piments verts frais

1 cuil. à café de gingembre
frais finement haché

1 cuil. à café d'ail haché

2 oignons, finement hachés

2 tomates, finement
hachées

450 ml d'eau

coriandre fraîche hachée,
pour la garniture

pains naan,
en accompagnement

Mélanger le curcuma et le sel, et enrober les cubes de poisson du mélange obtenu.

Dans une grande poêle à fond épais, chauffer l'huile à feu vif, ajouter le poisson et cuire jusqu'à ce qu'il soit jaune pâle. Retirer de la poêle à l'aide d'une écumoire et réserver. Rincer la poêle.

Mettre les piments, le gingembre, l'ail, les oignons et les tomates dans un mortier et réduire en pâte à l'aide d'un pilon. Il est également possible de procéder avec un robot de cuisine.

Transférer la préparation dans la poêle et faire revenir jusqu'à ce qu'elle soit dorée.

Retirer la poêle du feu et ajouter les cubes de poisson sans les briser. Remettre la poêle sur le feu, ajouter l'eau et cuire 15 à 20 minutes à feu moyen. Transférer dans un plat de service chaud, garnir de coriandre hachée et servir accompagné de pains naan.

Curry de poisson balti

Pour 4 à 6 personnes

900 g de filets de lotte ou de cabillaud, rincés et coupés en gros morceaux

2 feuilles de laurier, ciselées

140 g de ghee ou 150 ml d'huile végétale ou d'arachide

2 gros oignons, hachés

½ cuil. à soupe de sel

150 ml d'eau

coriandre fraîche hachée, pour la garniture

Marinade

½ cuil. à soupe de pâte de gingembre et d'ail

1 piment vert frais, épépiné et haché

1 cuil. à café de coriandre en poudre

1 cuil. à café de cumin en poudre

½ cuil. à café de curcuma en poudre

¼ à ½ cuil. à café de poudre de piment

sel

1 cuil. à soupe d'eau

Pour la marinade, mélanger la pâte de gingembre et d'ail, le piment vert, la coriandre, le cumin, le curcuma, la poudre de piment et le sel dans une terrine. Incorporer l'eau progressivement de façon à obtenir une pâte fluide, ajouter le poisson et bien l'enrober de marinade. Ajouter les feuilles de laurier, couvrir et laisser mariner 30 minutes à 4 heures au réfrigérateur.

Retirer le poisson du réfrigérateur 15 minutes avant de débuter la cuisson. Dans un kadhai, un wok ou une grande poêle, chauffer le ghee à feu moyen à vif, ajouter les oignons et le sel, et faire revenir 8 minutes en remuant souvent, jusqu'à ce que les oignons soient très tendres et dorés.

Ajouter délicatement le poisson avec la marinade et l'eau, porter à ébullition et réduire le feu immédiatement. Cuire 4 à 5 minutes en arrosant régulièrement de sauce, jusqu'à ce que le poisson soit cuit. Rectifier l'assaisonnement et parsemer de coriandre.

Curry de poisson

Pour 4 personnes

jus d'un citron vert

4 cuil. à soupe de sauce
de poisson thaïlandaise

2 cuil. à soupe de sauce
de soja thaïlandaise

1 piment rouge frais,
épépiné et haché

350 g de filets de lotte,
coupés en cubes

350 g de filets de saumon,
sans la peau et coupés
en cubes

400 ml de lait de coco

3 feuilles de combava

1 cuil. à soupe de pâte
de curry rouge
thaïlandaise

1 tige de citronnelle (partie
blanche seulement),
finement hachée

225 g de riz au jasmin

4 cuil. à soupe de coriandre
fraîche hachée

Mélanger le jus du citron vert, 2 cuillerées à soupe de sauce de poisson et la sauce de soja dans une terrine non métallique. Ajouter le piment et le poisson, mélanger et couvrir de film alimentaire. Laisser mariner 1 à 2 heures ou une nuit entière au réfrigérateur.

Dans une casserole, porter le lait de coco à ébullition, ajouter les feuilles de combava, la pâte de curry, la sauce de poisson restante et la citronnelle, et laisser mijoter 10 à 15 minutes à feu doux.

Ajouter le poisson et la marinade, et laisser mijoter 4 à 5 minutes, jusqu'à ce que le poisson soit cuit. Servir chaud accompagné de riz au jasmin parsemé de coriandre hachée.

Curry de fruits de mer à la noix de coco

Pour 4 personnes

2 cuil. à soupe d'huile végétale ou d'arachide

6 oignons verts, coupés en tronçons de 2,5 cm

1 carotte, pelée et coupée en julienne

55 g de haricots verts, éboutés et coupés en tronçons

2 cuil. à soupe de pâte de curry rouge thaïlandaise

700 ml de lait de coco

225 g de filets de poisson à chair blanche, sans la peau et coupés en cubes de 2,5 cm

225 g de calmars, parés et coupés en anneaux

225 g de grosses crevettes crues, décortiquées et déveinées

55 g de pousses de soja

115 g de nouilles de riz cuites

1 poignée de coriandre fraîche, hachée

1 poignée de feuilles de basilic thaïlandais haché, pour la garniture

Dans un wok préchauffé, chauffer l'huile, ajouter les oignons verts, la carotte et les haricots verts, et faire revenir 2 à 3 minutes à feu moyen à vif, jusqu'à ce qu'ils soient juste tendres.

Incorporer la pâte de curry, mouiller avec le lait de coco et porter à ébullition à feu doux en remuant de temps en temps. Réduire le feu et laisser mijoter 2 à 3 minutes. Ajouter le poisson, les fruits de mer et les pousses de soja, et laisser mijoter encore 2 à 3 minutes, jusqu'à ce que le tout soit cuit et que les crevettes soient bien roses.

Incorporer les nouilles de riz et la coriandre, et cuire encore 1 minute. Servir immédiatement et parsemer de basilic.

Curry vert de poisson thaïlandais

Pour 4 personnes

2 cuil. à soupe d'huile
végétale

1 gousse d'ail, hachée

2 cuil. à soupe de pâte
de curry verte
thaïlandaise

1 petite aubergine, coupée
en dés

120 ml de crème de coco

2 cuil. à soupe de sauce
de poisson thaïlandaise

1 cuil. à café de sucre

225 g de filets de poisson
à chair blanche et ferme,
coupés en cubes

120 ml de fumet de poisson

2 feuilles de combava,
finement ciselées

15 feuilles de basilic
thaïlandais frais

brins d'aneth frais,
en garniture

Dans un wok préchauffé ou une grande poêle, chauffer l'huile à feu moyen jusqu'à ce qu'elle soit fumante, ajouter l'ail et faire frire jusqu'à ce qu'il soit doré. Ajouter la pâte de curry et faire revenir quelques secondes. Ajouter l'aubergine et faire revenir 4 à 5 minutes, jusqu'à ce qu'elle soit tendre.

Mouiller avec la crème de coco, porter à ébullition et chauffer sans cesse de remuer jusqu'à ce que la crème épaississe et semble légèrement caillée. Ajouter la sauce de poisson thaïlandaise et le sucre, et bien mélanger.

Ajouter le poisson, mouiller avec le fumet et laisser mijoter 3 à 4 minutes en remuant de temps en temps, jusqu'à ce que le poisson soit juste tendre. Ajouter les feuilles de combava et le basilic, et cuire encore 1 minute. Transférer dans un grand plat de service chaud et garnir de brins d'aneth frais. Servir immédiatement.

Curry de cabillaud

Pour 4 personnes

1 cuil. à soupe d'huile
végétale

1 petit oignon, haché

2 gousses d'ail, hachées

1 morceau de gingembre
frais de 2,5 cm,
grossièrement haché

2 grosses tomates mûres,
mondées et concassées

150 ml de fumet de poisson

1 cuil. à soupe de pâte
de curry jaune

1 cuil. à café de coriandre
en poudre

400 g de pois chiches
en boîte, égouttés
et rincés

750 g de filets de cabillaud,
coupés en gros morceaux

4 cuil. à soupe de coriandre
fraîche hachée

4 cuil. à soupe de yaourt
nature

sel et poivre

riz, en accompagnement

Dans une grande poêle, chauffer l'huile à feu doux, ajouter l'oignon, l'ail et le gingembre, et cuire 4 à 5 minutes, jusqu'à ce que le tout soit tendre. Transférer dans un robot de cuisine, ajouter les tomates et le fumet de poisson, et réduire en purée homogène.

Verser la purée dans la poêle, ajouter la pâte de curry, la coriandre en poudre et les pois chiches, et bien mélanger. Laisser mijoter 15 minutes à feu doux, jusqu'à ce que la sauce ait épaissi.

Ajouter le poisson, porter au point de frémissement et cuire 5 minutes, jusqu'à ce que le poisson soit juste tendre. Retirer du feu et laisser reposer 2 à 3 minutes.

Incorporer la coriandre et le yaourt, saler et poivrer à volonté, et servir accompagné de riz blanc.

Curry de crevettes aux champignons et ses nouilles

Pour 4 personnes

1 cuil. à soupe d'huile végétale ou d'arachide

3 échalotes, hachées

1 piment rouge frais, épépiné et haché

1 cuil. à soupe de pâte de curry rouge thaïlandaise

1 tige de citronnelle (partie blanche seulement), finement hachée

225 g de crevettes cuites décortiquées

400 g de champignons de paille en boîte, égouttés

2 cuil. à soupe de sauce de poisson thaïlandaise

2 cuil. à soupe de sauce de soja thaïlandaise

225 g de nouilles aux œufs fraîches

coriandre fraîche hachée, pour la garniture

Dans un wok, chauffer l'huile, ajouter les échalotes et le piment, et faire revenir 2 à 3 minutes. Ajouter la pâte de curry et la citronnelle, et faire revenir encore 2 à 3 minutes.

Ajouter les crevettes, les champignons, la sauce de poisson et la sauce de soja, et bien mélanger.

Pendant ce temps, cuire les nouilles 3 à 4 minutes à l'eau bouillante, égoutter et transférer dans un plat de service chaud.

Garnir les nouilles de curry de crevettes, parsemer de coriandre fraîche et servir immédiatement.

Gambas biryani

Pour 8 personnes

1 cuil. à café de filaments de safran

4 cuil. à soupe d'eau tiède

2 échalotes, hachées

3 gousses d'ail, hachées

1 morceau de gingembre frais de 2,5 cm, haché

2 cuil. à café de graines de coriandre

½ cuil. à café de grains de poivre noir

2 clous de girofle

graines de 2 gousses de cardamome

1 bâton de cannelle de 2,5 cm

1 cuil. à café de curcuma en poudre

1 piment vert, haché

½ cuil. à café de sel

2 cuil. à soupe de ghee

1 cuil. à café de graines de moutarde noires

500 g de gambas ou 400 g de crevettes, décortiquées et déveinées

300 ml de lait de coco

300 ml de yaourt nature

riz, en accompagnement

amandes effilées, oignons verts émincés et brins de coriandre fraîche, pour la garniture

Faire tremper le safran 10 minutes dans l'eau tiède. Dans un mortier, mettre les échalotes, l'ail, le gingembre, les graines de coriandre, les grains de poivre, les clous de girofle, les gousses de cardamome, le bâton de cannelle, le curcuma, le piment et le sel, et réduire en pâte à l'aide d'un pilon.

Dans une casserole, chauffer le ghee, ajouter les graines de moutarde et chauffer jusqu'à ce qu'elles éclatent. Ajouter les gambas et faire revenir 1 minute sans cesser de remuer. Incorporer la préparation précédente, le lait de coco et le yaourt, et laisser mijoter 20 minutes.

Transférer la préparation dans un plat de service chaud, garnir de riz blanc et arroser d'eau safranée. Servir garni d'amandes effilées, d'oignons verts et de brins de coriandre.

Crevettes masala

Pour 4 personnes

2 piments rouges frais,
épépinés et hachés

2 gousses d'ail, hachées

½ oignon, haché

1 morceau de gingembre
frais de 2,5 cm, haché

1 cuil. à café de curcuma
en poudre

1 cuil. à café de cumin
en poudre

1 cuil. à café de garam
masala

½ cuil. à café de sucre

½ cuil. à café de poivre

300 ml de yaourt nature

2 cuil. à soupe de coriandre
fraîche hachée

450 g de grosses crevettes
crues, décortiquées
et déveinées, sans ôter
la queue

quartiers de citron vert,
en garniture

En cas d'utilisation de brochettes en bois, les faire tremper 30 minutes dans de l'eau froide de sorte qu'elles ne brûlent pas à la cuisson.

Dans un robot de cuisine, mettre les piments, l'ail, l'oignon, le gingembre, le curcuma, le cumin, le garam masala, le sucre, le poivre et le yaourt, et mixer jusqu'à obtention d'une consistance homogène. Transférer dans une terrine profonde et incorporer la coriandre. Piquer les crevettes sur des brochettes métalliques ou des brochettes en bois prétrempées. Ajouter les brochettes dans la terrine et bien enrober de marinade. Couvrir de film alimentaire et laisser mariner 1 heure à 1 h 30 au réfrigérateur.

Préchauffer le gril. Répartir les brochettes sur une grille et les passer au gril 4 minutes en les retournant et en les arrosant de marinade régulièrement. Les crevettes doivent être bien roses.

Servir chaud, garni de quartiers de citron vert.

Gambas au lait de coco

Pour 4 personnes

500 g de gambas crues

4 oignons

4 cuil. à soupe de ghee
ou d'huile végétale

1 cuil. à café de garam
masala

1 cuil. à café de curcuma
en poudre

1 bâton de cannelle

2 gousses de cardamome,
légèrement pilées

½ cuil. à café de poudre
de piment

2 clous de girofle

2 feuilles de laurier

400 ml de lait de coco

1 cuil. à café de sucre

sel

rif pilaf,
en accompagnement

Décortiquer et déveiner les gambas et réserver. Hacher finement 2 oignons et râper les oignons restants. Dans une grande poêle à fond épais, chauffer le ghee, ajouter le garam masala et cuire 1 minute à feu doux sans cesser de remuer, jusqu'à ce que les arômes se développent. Ajouter les oignons hachés et cuire 10 minutes en remuant de temps en temps, jusqu'à ce qu'ils soient dorés.

Incorporer les oignons râpés, le curcuma, la cannelle, les gousses de cardamome, la poudre de piment, les clous de girofle et les feuilles de laurier, et cuire 5 minutes sans cesser de remuer. Mouiller avec la moitié du lait de coco, ajouter le sucre et saler à volonté. Ajouter les crevettes et cuire 8 minutes en remuant souvent, jusqu'à ce qu'elles soient roses.

Mouiller avec le lait de coco restant et porter à ébullition. Rectifier l'assaisonnement et servir immédiatement accompagné de riz pilaf.

Gambas bengali à la coriandre

Pour 4 personnes

4 piments verts frais, épépinés

4 oignons verts, hachés

3 gousses d'ail

1 morceau de gingembre frais de 2,5 cm, haché

2 cuil. à café d'huile de maïs

4 cuil. à soupe d'huile de moutarde ou d'huile végétale

1 cuil. à soupe de coriandre en poudre

1 cuil. à café de graines de moutarde, pilées

175 ml de lait de coco

500 g de gambas crues, décortiquées et déveinées

sel

100 g de coriandre fraîche, hachée, un peu plus pour la garniture

riz, en accompagnement

demi-citrons, en garniture

Décortiquer et déveiner les gambas et réserver. Dans un robot de cuisine, mettre les piments, les oignons verts, l'ail, le gingembre et l'huile de maïs, et mixer jusqu'à obtention d'une pâte homogène. Dans une grande poêle à fond épais, chauffer l'huile de moutarde, ajouter la pâte et cuire 2 minutes à feu doux sans cesser de remuer.

Ajouter la coriandre en poudre, les graines de moutarde et le lait de coco, et porter à ébullition sans cesser de remuer. Réduire le feu et laisser mijoter 5 minutes.

Incorporer les crevettes et laisser mijoter encore 6 à 8 minutes, jusqu'à ce qu'elles aient changé de couleur. Saler à volonté, incorporer la coriandre hachée et servir immédiatement, accompagné de riz blanc. Garnir de demi-citrons et de quelques feuilles de coriandre.

Gambas tandoori

Pour 4 personnes

4 cuil. à soupe de yaourt nature

2 piments verts frais, épépinés et hachés

½ cuil. à soupe de pâte de gingembre et d'ail

graines de 4 gousses de cardamome

2 cuil. à café de cumin en poudre

1 cuil. à café de concentré de tomates

¼ de cuil. à café de curcuma en poudre

¼ de cuil. à café de sel

1 pincée de poudre de piment

24 gambas, décongelées si nécessaire, décortiquées et déveinées, en conservant la queue

huile, pour graisser

Dans un robot de cuisine, mettre le yaourt, les piments et la pâte de gingembre et d'ail, et mixer jusqu'à obtention d'une pâte homogène. Il est également possible de procéder avec un mortier et un pilon. Transférer la pâte dans une terrine non métallique et incorporer les graines de cardamome, le cumin, le concentré de tomates, le curcuma, le sel et la poudre de piment.

Ajouter les crevettes et mélanger avec les mains de sorte qu'elles soient uniformément enrobées de marinade. Couvrir de film alimentaire et laisser mariner 30 minutes à 4 heures au réfrigérateur.

Chauffer un tava, une grille ou une poêle en fonte à fond rainuré et enduire légèrement d'huile à l'aide de papier absorbant froissé ou d'un pinceau de cuisine.

Retirer les crevettes de la marinade à l'aide de pinces, égoutter et déposer sur le tava. Cuire 2 minutes, retourner et cuire encore 1 à 2 minutes, jusqu'à ce qu'elles soient roses, recourbées et totalement opaques. Servir immédiatement.

Gambas aux champignons

Pour 4 personnes

2 cuil. à soupe d'huile végétale ou d'arachide

1 botte d'oignons verts, hachés

2 gousses d'ail, finement hachées

175 ml de crème de coco

2 cuil. à soupe de pâte de curry rouge thaïlandaise

450 ml de fumet de poisson

2 cuil. à soupe de sauce de poisson thaïlandaise

2 cuil. à soupe de sauce de soja thaïlandaise

6 brins de basilic thaïlandais frais

400 g de champignons de paille en boîte, égouttés

350 g de gambas crues, décortiquées

riz au jasmin, en accompagnement

Dans un wok, chauffer l'huile, ajouter les oignons verts et l'ail, et faire revenir 2 à 3 minutes. Ajouter la crème de coco, la pâte de curry et le fumet, bien mélanger et porter au point d'ébullition.

Incorporer la sauce de poisson et la sauce de soja, et ajouter le basilic, les champignons et les gambas. Porter lentement à ébullition sans cesser de remuer. Servir immédiatement, accompagné de riz au jasmin.

Brochettes
de crevettes tikka

Pour 4 brochettes

1 cuil. à café de graines de cumin

1 cuil. à café de graines de coriandre

½ cuil. à café de graines de fenouil

½ cuil. à café de graines de moutarde jaunes

¼ de cuil. à café de graines de fenugrec

¼ de cuil. à café de graines de nigelle

1 pincée de poudre de piment

1 pincée de sel

2 cuil. à soupe de jus de citron ou d'ananas

12 gambas crues, décortiquées et déveinées, en conservant la queue

12 cubes d'ananas frais ou au jus

coriandre fraîche hachée, pour la garniture

En cas d'utilisation de brochettes en bois, plonger 4 brochettes dans une carafe d'eau et les laisser tremper 20 minutes de sorte qu'elles ne brûlent pas à la cuisson.

Chauffer une poêle, ajouter les graines de cumin, de coriandre, de fenouil, de moutarde, de fenugrec et de nigelle, et faire griller à sec sans cesser de remuer jusqu'à ce que les arômes se développent. Retirer immédiatement les graines de la poêle de sorte qu'elles ne brûlent pas.

Mettre les graines dans un mortier, ajouter la poudre de piment et le sel, et réduire en fine poudre.

Transférer dans une terrine non métallique et ajouter le jus de citron ou d'ananas.

Ajouter les crevettes et bien mélanger de sorte qu'elles soient uniformément enrobées de marinade. Laisser mariner 10 minutes. Pendant ce temps, préchauffer le gril à température maximale.

Piquer 3 crevettes par brochette en alternant avec 3 cubes d'ananas et passer au gril 2 minutes de chaque côté à 10 cm de la source de chaleur, jusqu'à ce que les crevettes soient bien roses. Procéder en enduisant souvent de marinade.

Servir les brochettes garnies de coriandre fraîche hachée.

3

Plats
végétariens

Curry de légumes

Pour 4 personnes

1 aubergine

225 g de panais

350 g de pommes de terre
nouvelles

225 g de chou-fleur

225 g de champignons
de Paris

1 gros oignon

3 carottes

6 cuil. à soupe de ghee

2 gousses d'ail, hachées

4 cuil. à café de gingembre
frais finement haché

1 ou 2 piments verts frais,
épépinés et hachés

1 cuil. à soupe de paprika

2 cuil. à café de coriandre
en poudre

1 cuil. à soupe de poudre
de curry douce

450 ml de bouillon
de légumes

400 g de tomates concassées

1 poivron vert, émincé

1 cuil. à soupe de maïzena

150 ml de lait de coco

2 à 3 cuil. à soupe
de poudre d'amandes

brins de coriandre fraîche,
en garniture

Couper l'aubergine, les panais et les pommes de terre
en dés de 1 cm. Séparer le chou-fleur en petites fleurettes.
Les champignons peuvent être laissés entiers ou concassés.
Émincer l'oignon et les carottes.

Dans une grande casserole, chauffer le ghee, ajouter
l'oignon, les panais, les pommes de terre et le chou-fleur,
et cuire 3 minutes à feu doux en remuant souvent. Ajouter
l'ail, le gingembre, les piments, le paprika, la coriandre
en poudre et la poudre de curry, et cuire 1 minute sans
cesser de remuer.

Mouiller avec le bouillon, ajouter les tomates, l'aubergine
et les champignons, et saler à volonté. Couvrir et laisser
mijoter 30 minutes en remuant de temps en temps,
jusqu'à ce que le tout soit tendre. Ajouter le poivron vert et
les carottes, couvrir et cuire encore 5 minutes.

Délayer la maïzena dans le lait de coco de façon à obtenir
une pâte homogène et incorporer à la préparation à base
de légumes. Ajouter la poudre d'amandes et laisser mijoter
2 minutes sans cesser de remuer. Rectifier l'assaisonnement
et transférer sur des assiettes chaudes. Garnir de brins
de coriandre et servir immédiatement.

Curry d'épinards aux pommes de terre

Pour 4 personnes

4 tomates

2 cuil. à soupe d'huile
d'arachide ou végétale

2 oignons, coupés
en gros quartiers

1 morceau de gingembre
frais de 2,5 cm, haché

1 gousse d'ail, hachée

2 cuil. à soupe de coriandre
en poudre

450 g de pommes de terre,
coupées en cubes

600 ml de bouillon
de légumes

1 cuil. à soupe de pâte
de curry rouge
thaïlandaise

225 g de feuilles d'épinards

Mettre les tomates dans une terrine résistant à la chaleur, couvrir d'eau bouillante et laisser tremper 2 à 3 minutes. Immerger immédiatement dans de l'eau glacée et monder. Couper en quartiers, épépiner et réserver.

Dans un wok préchauffé, chauffer l'huile, ajouter les oignons, le gingembre et l'ail, et faire revenir 2 à 3 minutes à feu moyen à vif, jusqu'à ce que les oignons soient juste tendres. Ajouter la coriandre et les pommes de terre, et faire revenir 2 à 3 minutes. Mouiller avec le bouillon, ajouter la pâte de curry et porter à ébullition en remuant de temps en temps. Réduire le feu et laisser mijoter 10 à 15 minutes à feu doux, jusqu'à ce que les pommes de terre soient tendres.

Ajouter les épinards et les quartiers de tomates, et cuire 3 minutes sans cesser de remuer, jusqu'à ce que les épinards aient flétri. Servir immédiatement.

Légumes korma

Pour 4 personnes

4 cuil. à soupe d'huile
végétale

2 oignons, hachés

2 gousses d'ail, hachées

1 piment rouge frais, haché

1 cuil. à soupe
de gingembre frais haché

2 tomates, mondées
et concassées

1 poivron orange, épépiné
et coupé en dés

1 grosse pomme de terre,
coupée en cubes

200 g de chou-fleur

½ cuil. à café de sel

1 cuil. à café de curcuma
en poudre

1 cuil. à café de cumin
en poudre

1 cuil. à café de coriandre
en poudre

1 cuil. à café de garam
masala

200 ml de bouillon
de légumes ou d'eau

150 ml de yaourt nature

150 ml de crème fleurette

25 g de coriandre fraîche,
hachée

riz, en accompagnement

Dans une grande casserole, chauffer l'huile à feu moyen, ajouter les oignons et l'ail, et cuire 3 minutes sans cesser de remuer. Ajouter le piment et le gingembre, et cuire encore 4 minutes. Ajouter les tomates, le poivron, la pomme de terre, le chou-fleur, le sel et les épices, et cuire encore 3 minutes sans cesser de remuer. Mouiller avec le bouillon et porter à ébullition. Réduire le feu et laisser mijoter 25 minutes.

Incorporer le yaourt et la crème fleurette, et cuire 5 minutes sans cesser de remuer. Ajouter la coriandre et réchauffer le tout.

Servir accompagné de riz blanc.

Curry de citrouille et carottes

Pour 4 personnes

150 ml de bouillon
de légumes

1 morceau de galanga frais
de 2,5 cm, émincé

2 gousses d'ail, hachées

1 tige de citronnelle (partie
blanche seulement),
finement hachée

2 piments rouges frais,
épépinés et hachés

4 carottes, pelées
et coupées en cubes

225 g de citrouille, pelée,
épépinée et coupée
en cubes

2 cuil. à soupe d'huile
végétale ou d'arachide

2 échalotes, finement
hachées

3 cuil. à soupe de pâte de
curry jaune thaïlandaise

400 ml de lait de coco

4 à 6 brins de basilic frais
thaïlandais

25 g de graines
de citrouille, en garniture

Dans une casserole, verser le bouillon, porter à ébullition et ajouter le galanga, la moitié de l'ail, la citronnelle et les piments. Laisser mijoter 5 minutes, ajouter les carottes et la citrouille, et laisser mijoter encore 5 à 6 minutes, jusqu'à ce que le tout soit tendre.

Pendant ce temps, chauffer l'huile dans un wok ou une poêle, ajouter les échalotes et l'ail restant, et faire revenir 2 à 3 minutes. Ajouter la pâte de curry et faire revenir 1 à 2 minutes.

Incorporer la préparation à base d'échalote dans la casserole et ajouter le lait de coco et le basilic thaïlandais. Laisser mijoter 2 à 3 minutes et servir chaud, parsemé de graines de citrouilles grillées.

Champignons au yaourt pimenté

Pour 4 à 6 personnes

4 cuil. à soupe de ghee ou d'huile végétale ou d'arachide

2 gros oignons, hachés

4 grosses gousses d'ail, hachées

400 g de tomates concassées en boîte

1 cuil. à café de curcuma en poudre

1 cuil. à café de garam masala

½ cuil. à café de poudre de piment

750 g de champignons cremini, grossièrement émincés

1 pincée de sucre

125 ml de yaourt nature

sel

coriandre fraîche hachée, en garniture

riz, en accompagnement

Dans un wok ou une grande poêle, chauffer le ghee à feu moyen ou vif, ajouter les oignons et faire revenir 5 à 8 minutes, jusqu'à ce qu'ils soient dorés. Incorporer l'ail et faire revenir encore 2 minutes.

Ajouter les tomates et bien mélanger. Incorporer le curcuma, le garam masala et la poudre de piment, et cuire encore 3 minutes.

Ajouter les champignons, le sucre et du sel à volonté, et cuire 8 minutes, jusqu'à ce que les champignons aient rendu leur jus et qu'ils soient tendres.

Éteindre le feu, incorporer progressivement le yaourt en battant vigoureusement de sorte qu'il ne caille pas. Rectifier l'assaisonnement, parsemer de coriandre et servir accompagné de riz blanc.

Curry de courge doubeurre

Pour 4 personnes

2 cuil. à soupe d'huile d'arachide ou végétale

1 cuil. à café de graines de cumin

2 oignons rouges, émincés

2 branches de céleri, émincées

1 grosse courge doubeurre, pelée, épépinée et coupée en cubes

2 cuil. à soupe de pâte de curry verte thaïlandaise

300 ml de bouillon de légumes

2 feuilles de combava fraîches

55 g de pousses de soja fraîches

1 poignée de coriandre fraîche hachée, pour la garniture

riz, en accompagnement

Dans un wok préchauffé, chauffer l'huile, ajouter les graines de cumin et faire revenir 2 à 3 minutes à feu moyen à vif, jusqu'à ce qu'elles commencent à éclater. Ajouter les oignons et le céleri, et faire revenir 2 à 3 minutes. Ajouter la courge et faire revenir encore 3 à 4 minutes. Ajouter la pâte de curry, le bouillon et les feuilles de combava, et porter à ébullition en remuant de temps en temps.

Réduire le feu et laisser mijoter 3 à 4 minutes à feu doux, jusqu'à ce que la courge soit tendre. Ajouter les pousses de soja et cuire encore 1 à 2 minutes, jusqu'à ce qu'elles soient chaudes mais toujours croquantes. Parsemer de coriandre et servir accompagné de riz blanc.

Curry de citrouille

Pour 4 personnes

150 ml d'huile végétale

2 oignons, émincés

½ cuil. à café de graines de cumin blanc

450 g de citrouille, coupée en cubes

1 cuil. à café de aamchoor (poudre de mangue séchée)

1 cuil. à café de gingembre frais haché

1 cuil. à café d'ail frais haché

1 cuil. à café de piment rouge haché

½ cuil. à café de sel

300 ml d'eau

chapatis, en accompagnement

Dans une poêle à fond épais, chauffer l'huile, ajouter les oignons et les graines de cumin, et cuire 5 à 6 minutes en remuant de temps en temps, jusqu'à ce que les oignons soient dorés.

Ajouter la citrouille dans la poêle et faire revenir 3 à 5 minutes à feu doux.

Mélanger l'aamchoor, le gingembre, l'ail, le piment et le sel, ajouter dans la poêle et bien mélanger le tout.

Ajouter l'eau, couvrir et cuire 10 à 15 minutes à feu doux en remuant de temps en temps. Transférer dans des assiettes chaudes et servir chaud accompagné de chapatis.

Curry d'aubergines aux haricots verts

Pour 4 personnes

2 cuil. à soupe d'huile
végétale ou d'arachide

1 oignon, haché

2 gousses d'ail, hachées

2 piments rouges frais,
épépinés et hachés

1 cuil. à soupe de pâte de
curry rouge thaïlandaise

1 grosse aubergine, coupée
en cubes

115 g de mini-aubergines

115 g de fèves

115 g de haricots verts

300 ml de bouillon
de légumes

55 g de crème de coco
en bloc, hachée

3 cuil. à soupe de sauce
de soja thaïlandaise

1 cuil. à café de sucre roux

3 feuilles de combava,
ciselées

4 cuil. à soupe de coriandre
fraîche hachée

Dans un wok ou une grande poêle, chauffer l'huile, ajouter l'oignon, l'ail et les piments, et faire revenir 1 à 2 minutes. Incorporer la pâte de curry et cuire encore 1 à 2 minutes.

Ajouter les aubergines et cuire 3 à 4 minutes, jusqu'à ce qu'elles soient juste tendres. (Il sera peut-être nécessaire d'ajouter de l'huile supplémentaire.) Incorporer les fèves et les haricots verts, et faire revenir 2 minutes.

Ajouter la crème de coco, le bouillon, la sauce de soja, le sucre roux et les feuilles de combava. Porter à ébullition à feu doux, réduire le feu et laisser mijoter 5 minutes. Incorporer la coriandre et servir chaud.

Curry de chou-fleur et patates douces

Pour 4 personnes

4 cuil. à soupe de ghee ou d'huile végétale

2 oignons, finement hachés

1 cuil. à café de poudre de cinq épices

1 tête de chou-fleur

350 g de patates douces

2 piments verts frais, épépinés et hachés

1 cuil. à café de pâte de gingembre

2 cuil. à café de paprika

1½ cuil. à café de cumin en poudre

1 cuil. à café de curcuma en poudre

½ cuil. à café de poudre de piment

3 tomates, concassées

225 g de petits pois

3 cuil. à soupe de yaourt

225 ml de bouillon de légumes ou d'eau

1 cuil. à café de garam masala

sel

brins de coriandre fraîche, en garniture

Séparer la tête de chou-fleur en fleurettes, couper les patates douces en dés et réserver.

Dans une grande poêle à fond épais, chauffer le ghee, ajouter les oignons et la poudre de cinq épices, et cuire 10 minutes à feu doux en remuant souvent, jusqu'à ce que les oignons soient dorés. Ajouter le chou-fleur, les patates douces et les piments, et cuire 3 minutes en remuant souvent.

Incorporer la pâte de gingembre, le paprika, le cumin, le curcuma et la poudre de piment, et cuire 3 minutes sans cesser de remuer. Ajouter les tomates et les petits pois, incorporer le yaourt et le bouillon, et saler à volonté. Couvrir et laisser mijoter 20 minutes, jusqu'à ce que les légumes soient tendres.

Saupoudrer de garam masala, transférer dans un plat de service chaud et servir immédiatement, garni de brins de coriandre.

Curry de courgettes aux noix de cajou

Pour 4 personnes

2 cuil. à soupe d'huile végétale ou d'arachide

6 oignons verts, hachés

2 gousses d'ail, hachées

2 piments verts frais, épépinés et hachés

450 g de courgettes, coupées en rondelles épaisses

115 g de champignons shiitaké, coupés en deux

55 g de pousses de soja

85 g de noix de cajou, grillées à sec

quelques brins de ciboulette chinoise, hachés

4 cuil. à soupe de sauce de soja thaïlandaise

1 cuil. à café de sauce de poisson thaïlandaise

nouilles, en accompagnement

Dans un wok ou une grande poêle, chauffer l'huile, ajouter les oignons verts, l'ail et les piments, et faire revenir 1 à 2 minutes, jusqu'à ce qu'ils soient tendres sans être dorés.

Ajouter les courgettes et les champignons, et cuire 2 à 3 minutes, jusqu'à ce qu'ils soient tendres.

Ajouter les pousses de soja, les noix de cajou, la ciboulette, la sauce de soja et la sauce de poisson, et faire revenir 1 à 2 minutes.

Servir chaud accompagné de nouilles.

Légumes au tofu frit

Pour 4 personnes

huile végétale
ou d'arachide,
pour la friture

225 g de tofu ferme,
égoutté et coupé
en cubes

2 cuil. à soupe d'huile
végétale ou d'arachide

2 oignons, hachés

2 gousses d'ail, hachées

1 piment rouge frais,
épépiné et émincé

3 branches de céleri,
émincées en biais

225 g de champignons
de couche, émincés

115 g de mini-épis de maïs,
coupés en deux

1 poivron rouge, épépiné
et coupé en lanières

3 cuil. à soupe de pâte de
curry rouge thaïlandaise

400 ml de lait de coco

1 cuil. à café de sucre roux

2 cuil. à soupe de sauce
de soja thaïlandaise

225 g de pousses d'épinards
fraîches

Chauffer de l'huile dans une sauteuse, ajouter les cubes de tofu et faire frire 4 à 5 minutes, jusqu'à ce qu'ils soient dorés et croustillants. Retirer de l'huile à l'aide d'une écumoire et égoutter sur du papier absorbant.

Dans une poêle, chauffer 2 cuillerées à soupe d'huile, ajouter les oignons, l'ail et le piment, et faire revenir 1 à 2 minutes, jusqu'à ce qu'ils soient juste tendres. Ajouter le céleri, les champignons, le maïs et le poivron rouge, et faire revenir 3 à 4 minutes, jusqu'à ce qu'ils soient tendres.

Incorporer la pâte de curry et le lait de coco, et porter à ébullition à feu doux. Ajouter le sucre, la sauce de soja et les épinards, et cuire sans cesser de remuer jusqu'à ce que les épinards aient flétri. Servir immédiatement, garni de tofu.

Curry d'aubergines

Pour 2 personnes

huile végétale
ou d'arachide,
pour la friture

2 aubergines, coupées
en cubes de 2 cm

1 botte d'oignons verts,
grossièrement hachés

2 gousses d'ail, hachées

2 poivrons rouges, épépinés
et coupés en carrés
de 2 cm

3 courgettes, coupées
en rondelles épaisses

400 ml de lait de coco
en boîte

2 cuil. à soupe de pâte de
curry rouge thaïlandaise

1 bonne poignée
de coriandre fraîche
hachée, plus quelques
brins pour la garniture

Dans un wok préchauffé ou une sauteuse, chauffer de l'huile jusqu'à ce qu'un dé de pain y brunisse en 30 secondes. Ajouter les cubes d'aubergines et faire frire 45 secondes à 1 minute, jusqu'à ce qu'ils soient croustillants et uniformément dorés. Retirer de l'huile à l'aide d'une écumoire et égoutter sur du papier absorbant.

Dans un autre wok ou une grande poêle, chauffer 2 cuillerées à soupe d'huile, ajouter les oignons verts et l'ail, et faire revenir 1 minute à feu moyen à vif. Ajouter les poivrons rouges et les courgettes, et faire revenir 2 à 3 minutes. Ajouter le lait de coco et la pâte de curry, et porter à ébullition à feu doux en remuant de temps en temps. Ajouter les aubergines et la coriandre hachée, réduire le feu et laisser mijoter 2 à 3 minutes.

Garnir de brins de coriandre et servir immédiatement.

Curry de pommes de terre et haricots

Pour 6 personnes

300 ml d'huile végétale

1 cuil. à café de graines de cumin blanc

1 cuil. à café d'un mélange de graines de moutarde et de nigelle

4 piments rouges séchés

3 tomates, émincées

1 cuil. à café de sel

1 cuil. à café de gingembre frais finement haché

1 cuil. à café d'ail frais finement haché

1 cuil. à café de poudre de piment

200 g de haricots verts, émincés en biais en tronçons de 2,5 cm

2 pommes de terre, pelées et coupées en dés

300 ml d'eau

Garniture

coriandre fraîche hachée et piments verts finement émincés

Dans une casserole à fond épais, chauffer l'huile, ajouter les graines de cumin, les graines de moutarde, les graines de nigelle et les piments rouges séchés, et bien mélanger.

Ajouter les tomates et faire revenir 3 à 5 minutes.

Mélanger le sel, le gingembre, l'ail et la poudre de piment, ajouter dans la casserole et bien mélanger le tout.

Ajouter les haricots verts et les pommes de terre, et faire revenir 5 minutes.

Ajouter l'eau dans la casserole, réduire le feu et laisser mijoter 10 à 15 minutes en remuant de temps en temps. Transférer dans un plat de service chaud, garnir de coriandre fraîche hachée et de piments verts émincés, et servir.

Curry de gombos

Pour 4 personnes

450 g de gombos

150 ml d'huile végétale

2 oignons, émincés

3 piments verts frais,
finement hachés

2 feuilles de curry

1 cuil. à café de sel

1 tomate, émincée

2 cuil. à soupe de jus
de citron

2 cuil. à soupe de coriandre
fraîche hachée

chapatis,
en accompagnement

Rincer les gombos et les égoutter. À l'aide d'un couteau tranchant, ébouter les gombos et les couper en tronçons de 2,5 cm.

Dans une poêle à fond épais, chauffer l'huile, ajouter les oignons, les piments verts, les feuilles de curry et le sel, et faire revenir 5 minutes.

Ajouter progressivement les gombos en remuant à l'aide d'une écumoire et faire revenir 12 à 15 minutes à feu moyen.

Ajouter la tomate et arroser de jus de citron.

Parsemer de coriandre hachée, couvrir et laisser mijoter 3 à 5 minutes. Transférer dans des assiettes chaudes et servir chaud, accompagné de chapatis.

Curry de pois chiches

Pour 4 personnes

6 cuil. à soupe d'huile
végétale

2 oignons, émincés

1 cuil. à café de gingembre
frais finement haché

1 cuil. à café de cumin
en poudre

1 cuil. à café de coriandre
en poudre

1 cuil. à café d'ail frais
haché

1 cuil. à café de poudre
de piment

2 piments verts frais,
finement hachés

2 à 3 cuil. à soupe
de feuilles de coriandre
fraîche

150 ml d'eau

1 grosse pomme de terre

400 g de pois chiches
en boîte, égouttés

1 cuil. à soupe de jus
de citron

Dans une grande casserole à fond épais, chauffer l'huile, ajouter les oignons et cuire en remuant de temps en temps jusqu'à ce qu'ils soient dorés. Réduire le feu, ajouter le gingembre, le cumin en poudre, la coriandre en poudre, l'ail, la poudre de piment, les piments verts et les feuilles de coriandre fraîche, et faire revenir 2 minutes.

Ajouter l'eau dans la casserole et mélanger.

À l'aide d'un couteau tranchant, couper la pomme de terre en dés, ajouter dans la casserole avec les pois chiches et couvrir. Laisser mijoter 5 à 7 minutes en remuant de temps en temps, jusqu'à ce que les pommes de terre soient tendres.

Arroser de jus de citron, transférer dans un plat de service chaud et servir immédiatement.

Curry de poivrons aux pommes de terre

Pour 4 personnes

3 cuil. à soupe de ghee ou d'huile végétale

1 oignon, haché

2 pommes de terre, coupées en cubes

1 cuil. à café de poudre de piment

1 cuil. à café de coriandre en poudre

¼ de cuil. à café de curcuma en poudre

2 poivrons verts, épépinés et coupés en cubes

225 g de fèves fraîches ou surgelées

200 g de tomates concassées

2 piments verts frais, grossièrement hachés

1 cuil. à soupe de coriandre fraîche hachée

125 ml de bouillon de légumes ou d'eau

sel

pains naan, en accompagnement

Dans une grande casserole à fond épais, chauffer le ghee, ajouter l'oignon et cuire 5 minutes à feu doux en remuant de temps en temps, jusqu'à ce qu'il soit tendre. Ajouter les pommes de terre et cuire 5 minutes en remuant de temps en temps.

Ajouter la poudre de piment, la coriandre en poudre et le curcuma, et bien mélanger. Ajouter les poivrons verts, les fèves et les tomates avec leur jus, et écraser les tomates à l'aide d'une cuillère en bois.

Incorporer les piments et la coriandre hachés, verser le bouillon et saler à volonté. Couvrir et laisser mijoter 8 à 10 minutes, jusqu'à ce que les pommes de terre et les fèves soient tendres. Servir immédiatement, accompagné de pains naan.

Curry de courgettes

Pour 4 personnes

6 cuil. à soupe d'huile végétale

1 oignon, finement haché

3 piments verts frais, finement hachés

1 cuil. à café de gingembre frais finement haché

1 cuil. à café d'ail frais finement haché

1 cuil. à café de poudre de piment

500 g de courgettes, finement émincées

2 tomates, émincées

2 cuil. à café de graines de fenugrec

chapatis, en accompagnement

Dans une grande poêle à fond épais, chauffer l'huile, ajouter l'oignon, les piments verts, le gingembre, l'ail et la poudre de piment, et bien mélanger le tout.

Ajouter les courgettes et les tomates émincées dans la poêle et faire revenir 5 à 7 minutes à feu moyen.

Ajouter les graines de fenugrec dans la poêle et faire revenir encore 5 minutes à feu moyen, jusqu'à ce que les légumes soient bien tendres.

Retirer la poêle du feu et transférer le curry dans des assiettes chaudes. Servir bien chaud, accompagné de chapatis.

Curry de lentilles

Pour 4 personnes

3 cuil. à soupe de ghee ou d'huile végétale

1 gros oignon, haché

2 gousses d'ail, hachées

1 morceau de gingembre frais de 2,5 cm, haché

½ cuil. à café de piment séché haché ou de poudre de piment

1 cuil. à café de coriandre en poudre

1 cuil. à café de cumin en poudre

1 cuil. à café de paprika

85 g de lentilles rouges

450 ml de bouillon de légumes

225 g de tomates concassées en boîte

6 œufs

55 ml de lait de coco

sel

2 tomates coupées en quartiers et brins de coriandre, en garniture

chapatis ou pains naan, en accompagnement

Dans une casserole, chauffer le ghee, ajouter l'oignon et faire revenir 3 minutes à feu doux. Incorporer l'ail, le gingembre, le piment et les épices, et cuire 1 minute à feu doux en remuant souvent. Incorporer les lentilles et les tomates, mouiller avec le bouillon et porter à ébullition. Réduire le feu, couvrir et laisser mijoter 30 minutes en remuant de temps en temps, jusqu'à ce que les lentilles soient tendres.

Pendant ce temps, mettre les œufs dans une casserole d'eau froide et porter à ébullition. Réduire le feu et cuire 10 minutes. Égoutter et plonger immédiatement dans de l'eau froide.

Incorporer le lait de coco à la préparation à base de lentilles et saler à volonté. Transférer le tout dans un robot de cuisine et réduire en purée. Reverser la purée dans la casserole et réchauffer le tout.

Écaler les œufs durs et les couper en deux dans la longueur. Déposer 3 demi-œufs sur chaque assiette, napper de curry de lentilles et garnir de quartiers de tomates et de brins de coriandre. Servir accompagné de chapatis ou de pains naan.

4

Accompagnements

Bhajis aux oignons

Pour 12 beignets

140 g de besan (farine
de pois chiches)

1 cuil. à café de sel

1 cuil. à café de cumin
en poudre

1 cuil. à café de curcuma
en poudre

1 cuil. à café de bicarbonate

½ cuil. à café de poudre
de piment

2 cuil. à café de jus
de citron

2 cuil. à soupe d'huile
végétale ou d'arachide,
un peu plus pour
la friture

2 à 8 cuil. à soupe d'eau

2 oignons, finement
émincés

2 cuil. à café de graines
de coriandre, légèrement
pilées

Dans une grande terrine, tamiser le besan, le sel, le cumin, le curcuma, le bicarbonate et la poudre de piment. Ajouter le jus de citron et l'huile, et incorporer très progressivement juste assez d'eau pour obtenir une pâte homogène et crémeuse. Incorporer les oignons et les graines de coriandre.

Dans un wok, une sauteuse ou une casserole à fond épais, chauffer l'huile de friture à 180 °C, de sorte qu'un dé de pain y brunisse en 30 secondes. Plonger quelques cuillerées de pâte dans l'huile et faire frire 2 minutes. Retourner à l'aide de pinces et faire frire encore 2 minutes, jusqu'à ce que les bhajis soient dorés et croustillants.

Retirer immédiatement les bhajis de l'huile et égoutter sur du papier absorbant froissé. Réserver au chaud et répéter l'opération avec la pâte restante. Servir chaud.

Pains naan

Pour 10 pains naan

900 g de farine

1 cuil. à soupe de levure fraîche

1 cuil. à café de sucre

1 cuil. à café de sel

300 ml d'eau, chauffée à 50 °C

1 œuf, battu

4 cuil. à soupe de ghee ou de beurre clarifié, fondu, un peu plus pour abaisser et enduire

Dans une terrine, tamiser la farine, la levure, le sucre et le sel, et creuser un puits au centre. Mélanger l'eau et l'œuf, et bien battre le mélange.

Verser progressivement le mélange à base d'œuf dans le puits et mélanger avec les mains jusqu'à obtention d'une pâte épaisse et homogène. Façonner une boule et la remettre dans la terrine.

Tremper un torchon dans de l'eau chaude, essorer et couvrir la terrine en coinçant les extrémités du torchon sous la terrine. Laisser reposer 30 minutes.

Aplatir la pâte sur un plan de travail enduit de ghee fondu, l'asperger de ghee fondu et la pétrir de façon à incorporer le ghee. Répéter l'opération jusqu'à ce que la totalité du ghee soit incorporée. Façonner 10 boules de mêmes dimensions avec la pâte.

Tremper de nouveau le torchon dans de l'eau chaude, l'essorer et en couvrir les boules de pâte. Laisser lever 1 heure.

Mettre une ou deux plaques dans le four et préchauffer le four à 230 °C (th. 7-8).

À l'aide d'un rouleau à pâtisserie légèrement graissé, abaisser les boules de pâtes en forme de larme de sorte qu'elles aient 3 mm d'épaisseur. Enduire les plaques chaudes de ghee à l'aide d'un pinceau ou de papier absorbant froissé. Répartir les larmes sur les plaques et cuire 5 à 6 minutes au four préchauffé, jusqu'à ce qu'elles aient légèrement gonflé et soient dorées. Enduire de ghee fondu et servir immédiatement.

Samosas de légumes

Pour 8 samosas

1 carotte, coupée en dés

200 g de patates douces, coupées en dés

85 g de petits pois surgelés

2 cuil. à soupe de ghee ou d'huile végétale

1 oignon, haché

1 gousse d'ail, hachée

1 morceau de gingembre frais de 2,5 cm, râpé

1 cuil. à café de curcuma en poudre

1 cuil. à café de cumin en poudre

½ cuil. à café de poudre de piment

½ cuil. à café de garam masala

1 cuil. à café de jus de citron vert

Pâte

150 g de farine, un peu plus pour saupoudrer

3 cuil. à soupe de beurre, coupé en dés

4 cuil. à soupe de lait chaud

huile, pour la friture

quartiers de citron vert, en accompagnement

Porter une casserole d'eau à ébullition, ajouter les carottes et cuire 4 minutes. Ajouter les patates douces et cuire 4 minutes. Ajouter les petits pois et cuire encore 3 minutes. Égoutter.

Dans une casserole, chauffer le ghee à feu moyen, ajouter l'oignon, l'ail, le gingembre, les épices et le jus de citron vert, et cuire 3 minutes sans cesser de remuer. Ajouter les légumes, saler et poivrer à volonté. Cuire 2 minutes sans cesser de remuer. Retirer du feu et laisser reposer 15 minutes.

Pour la pâte, mettre la farine dans une terrine et incorporer le beurre. Ajouter le lait et mélanger jusqu'à obtention d'une pâte homogène. Pétrir brièvement et diviser en quatre. Sur un plan fariné, façonner les portions de pâte en boules, les abaisser en disques de 17 cm de diamètre et couper chaque disque en deux. Répartir la garniture au centre des demi-disques, humecter les bords et replier en triangles en scellant bien les bords.

Dans une sauteuse, chauffer 2,5 cm d'huile à 190 °C, jusqu'à ce qu'un dé de pain y brunisse en 30 secondes. Faire frire les samosas 3 à 4 minutes en plusieurs fournées, jusqu'à ce qu'ils soient dorés. Égoutter sur du papier absorbant et servir chaud, accompagné de quartiers de citron vert.

Chapatis

Pour 6 chapatis

225 g de farine complète,
tamisée, un peu plus
pour saupoudrer

½ cuil. à café de sel

150 à 200 ml d'eau

ghee fondu, pour graisser

Dans une grande terrine, mélanger la farine et le sel, et creuser un puits au centre. Incorporer progressivement assez d'eau pour obtenir une pâte épaisse.

Pétrir la pâte 5 minutes sur un plan légèrement fariné, jusqu'à ce qu'elle soit homogène et élastique. Façonner en boule, remettre dans la terrine et couvrir d'un torchon humide. Laisser reposer 20 minutes.

Les mains farinées, diviser la pâte en six et façonner des boules. Pendant ce temps, chauffer à blanc une poêle à crêpes.

Aplatir une boule de pâte entre ses mains et l'abaisser en un disque de 18 cm de diamètre sur un plan fariné. Mettre le disque dans la poêle très chaude et cuire jusqu'à ce que des taches brunes apparaissent sur la base. Répéter l'opération sur l'autre face.

Retourner de nouveau le disque et presser les bords à l'aide d'un torchon de façon à extraire la vapeur, ce qui fait gonfler le chapatis. Répéter l'opération sur l'autre face.

Enduire le chapati de ghee fondu et servir immédiatement. Procéder de même avec les boules de pâte restantes. Les chapatis sont meilleurs au sortir de la poêle mais peuvent être conservés 20 minutes enveloppés de papier d'aluminium dans un four chaud.

Pommes de terre et épinards épicés

Pour 4 personnes

500 g de feuilles d'épinards fraîches

2 cuil. à soupe de ghee ou d'huile végétale

1 cuil. à café de graines de moutarde noires

1 oignon, coupé en deux et émincé

2 cuil. à café de pâte de gingembre et d'ail

900 g de pommes de terre fermes, coupées en dés

1 cuil. à café de poudre de piment

125 ml de bouillon de légumes ou d'eau

sel

Porter une grande casserole d'eau à ébullition. Ajouter les épinards et blanchir 4 minutes. Égoutter, mettre sur un torchon et rouler de façon à exprimer l'excédent d'eau des épinards.

Dans une poêle, chauffer le ghee, ajouter les graines de moutarde et cuire 2 minutes à feu doux sans cesser de remuer, jusqu'à ce que les arômes se développent. Ajouter l'oignon et la pâte de gingembre et d'ail, et cuire 5 minutes en remuant souvent, jusqu'à ce que l'oignon soit tendre.

Ajouter les pommes de terre, la poudre de piment et le bouillon, et saler à volonté. Porter à ébullition, couvrir et cuire 10 minutes.

Ajouter les épinards, couvrir et laisser mijoter encore 10 minutes, jusqu'à ce que les pommes de terre soient tendres. Servir immédiatement.

Aloo Gobi

Pour 4 à 6 personnes

4 cuil. à soupe de ghee ou d'huile végétale ou d'arachide

½ cuil. à soupe de graines de cumin

1 oignon, haché

1 morceau de gingembre frais de 4 cm, finement haché

1 piment vert frais, épépiné et finement émincé

450 g de chou-fleur, séparé en fleurettes

450 g de grosses pommes de terre fermes, pelées et coupées en cubes

½ cuil. à café de coriandre en poudre

½ cuil. à café de garam masala

¼ de cuil. à café de sel

brins de coriandre fraîche, en garniture

Dans une cocotte ou une grande poêle, chauffer le ghee à feu moyen à vif. Ajouter les graines de cumin et faire revenir sans cesser de remuer 30 secondes, jusqu'à ce qu'elles commencent à éclater et à brunir.

Incorporer immédiatement l'oignon, le gingembre et le piment, et faire revenir 5 à 8 minutes sans cesser de remuer, jusqu'à ce que l'oignon soit doré.

Incorporer le chou-fleur, les pommes de terre, la coriandre en poudre, le garam masala et le sel, et faire revenir encore 30 secondes sans cesser de remuer.

Couvrir, réduire le feu et laisser mijoter 20 à 30 minutes en remuant de temps en temps, jusqu'à ce que les légumes soient tendres. Veiller à ce que les légumes n'attachent pas au fond de la cocotte et incorporer un peu d'eau si nécessaire.

Servir garni de brins de coriandre fraîche.

Matar paneer

Pour 4 personnes

85 g de ghee
ou 6 cuil. à soupe
d'huile végétale
ou d'arachide

350 g de paneer (fromage
indien), coupé en cubes
de 1 cm

2 grosses gousses d'ail,
hachées

1 morceau de gingembre
frais, finement haché

1 gros oignon, finement
émincé

1 cuil. à café de curcuma
en poudre

1 cuil. à café de garam
masala

¼ à ½ cuil. à café
de poudre de piment

600 g de petits pois
surgelés ou frais, écossés

1 feuille de laurier frais

½ cuil. à café de sel

125 ml d'eau

coriandre fraîche hachée,
en garniture

Dans une grande poêle ou une cocotte, chauffer le ghee à feu moyen à vif et ajouter autant de cubes de paneer que la poêle peut en contenir en une seule couche et faire frire 5 minutes, jusqu'à ce que le paneer soit uniformément doré. Retirer de la poêle à l'aide d'une écumoire et égoutter sur du papier absorbant froissé. Répéter l'opération avec le paneer restant en ajoutant un peu de ghee si nécessaire.

Mettre l'ail, le gingembre et l'oignon dans la poêle, et faire revenir 5 à 8 minutes en remuant souvent, jusqu'à ce que l'oignon soit tendre sans avoir bruni.

Incorporer le curcuma, le garam masala et la poudre de piment, et faire revenir encore 2 minutes.

Ajouter les petits pois, la feuille de laurier et le sel, et faire revenir sans cesser de remuer. Ajouter l'eau et porter à ébullition. Réduire le feu, couvrir et laisser mijoter 10 minutes, jusqu'à ce que les petits pois soient tendres.

Remettre délicatement le paneer dans la poêle et laisser mijoter en remuant délicatement jusqu'à ce que le paneer soit bien chaud. Parsemer de coriandre et servir.

Riz à la noix de coco

Pour 4 à 6 personnes

225 g de riz basmati

2 cuil. à soupe d'huile de moutarde

450 ml d'eau

60 g de crème de coco

1½ cuil. à café de sel

copeaux de noix de coco grillés, en garniture

Rincer le riz basmati dans plusieurs eaux jusqu'à ce que le liquide qui s'en écoule soit clair, et laisser tremper 30 minutes. Égoutter et réserver.

Dans une grande poêle ou une casserole, chauffer l'huile de moutarde à feu vif jusqu'à ce qu'elle soit fumante. Éteindre le feu et laisser l'huile de moutarde refroidir complètement.

Réchauffer l'huile de moutarde à feu moyen à vif, ajouter le riz et faire revenir sans cesser de remuer jusqu'à ce que tous les grains soient enrobés d'huile. Ajouter l'eau et la crème de coco, et porter à ébullition.

Réduire le feu, incorporer le sel et couvrir hermétiquement. Laisser mijoter 8 à 10 minutes sans ôter le couvercle, jusqu'à ce que les grains soient tendres et que tout le liquide soit absorbé.

Éteindre le feu et mélanger le riz à l'aide de deux fourchettes. Couvrir et laisser le riz reposer 5 minutes. Servir garni de copeaux de noix de coco grillés.

Riz pilaf aux fruits

Pour 4 à 6 personnes

225 g de riz basmati

450 ml d'eau

½ cuil. à café de filaments de safran

1 cuil. à café de sel

2 cuil. à soupe de ghee ou d'huile végétale ou d'arachide

55 g d'amandes mondées

1 oignon, finement émincé

1 bâton de cannelle, cassé en deux

graines de 4 gousses de cardamome

1 cuil. à café de graines de cumin

1 cuil. à café de grains de poivre noir, légèrement pilés

2 feuilles de laurier

3 cuil. à soupe de mangue séchée finement hachée

3 cuil. à soupe d'abricots secs finement hachés

2 cuil. à soupe de raisins secs

55 g de pistaches, hachées

Rincer le riz basmati dans plusieurs eaux jusqu'à ce que le liquide qui s'en écoule soit clair, et laisser tremper 30 minutes. Égoutter et réserver.

Dans une petite casserole, porter l'eau à ébullition, ajouter le safran et le sel, et retirer du feu. Laisser infuser et réserver.

Dans une grande casserole, chauffer le ghee à feu moyen à vif, ajouter les amandes et faire revenir sans cesser de remuer jusqu'à ce qu'elles soient dorées. Retirer immédiatement de la casserole à l'aide d'une écumoire.

Mettre l'oignon dans la casserole et faire revenir 5 à 8 minutes en remuant souvent, jusqu'à ce qu'il soit tendre, sans avoir bruni. Ajouter les épices et les feuilles de laurier, et faire revenir 30 secondes sans cesser de remuer.

Ajouter le riz dans la casserole et faire revenir sans cesser de remuer jusqu'à ce que les grains soient bien enrobés de ghee. Ajouter l'eau safranée et porter à ébullition. Réduire le feu, incorporer les fruits secs et couvrir la casserole hermétiquement. Laisser mijoter 8 à 10 minutes sans ôter le couvercle, jusqu'à ce que les grains de riz soient tendres et que tout le liquide soit absorbé.

Éteindre le feu, mélanger le riz à l'aide de deux fourchettes et incorporer les amandes et les pistaches. Couvrir de nouveau et laisser reposer 5 minutes avant de servir.

Riz basmati pilaf

Pour 4 personnes

500 g de riz basmati

175 g de brocoli

6 cuil. à soupe d'huile végétale

2 gros oignons, hachés

225 g de champignons de Paris, émincés

2 gousses d'ail, hachées

6 gousses de cardamome, fendues

6 clous de girofle

8 grains de poivre

1 bâton de cannelle

1 cuil. à café de curcuma en poudre

1,2 l de bouillon de légumes ou d'eau, bouillants

55 g de raisins secs

55 g de pistaches non salées, concassées

sel et poivre

Mettre le riz dans une passoire, bien rincer à l'eau courante et égoutter. Pour préparer le brocoli, séparer les tiges des fleurettes et couper les tiges en biais en tronçons de 1 cm et les fleurettes en petits bouquets.

Dans une grande casserole, chauffer l'huile, ajouter les oignons et les tiges de brocoli, et cuire à feu doux 3 minutes en remuant souvent. Ajouter les champignons, le riz, l'ail et les épices, et cuire 1 minute sans cesser de remuer, jusqu'à ce que le riz soit bien enrobé d'huile.

Ajouter le bouillon, saler et poivrer à volonté. Incorporer les fleurettes de brocoli et porter à ébullition. Couvrir, réduire le feu et cuire 15 minutes à feu doux sans ôter le couvercle.

Retirer la casserole du feu et laisser reposer 5 minutes sans ôter le couvercle. Jeter les épices entières, ajouter les raisins secs et les pistaches, et aérer délicatement les grains de riz à l'aide de deux fourchettes. Servir chaud.

Riz au citron

Pour 4 à 6 personnes

225 g de riz basmati

2 cuil. à soupe de ghee
ou d'huile végétale ou
d'arachide

1 cuil. à café de graines
de nigelle

450 ml d'eau

jus et zeste finement râpé
d'un gros citron

1½ cuil. à café de sel

¼ de cuil. à café
de curcuma en poudre

Rincer le riz basmati dans plusieurs eaux jusqu'à ce que
le liquide qui s'en écoule soit clair, et laisser tremper
30 minutes. Égoutter et réserver.

Dans une grande casserole, chauffer le ghee à feu moyen
à vif, ajouter les graines de nigelle et le riz, et faire revenir
sans cesser de remuer jusqu'à ce que les grains de riz soient
bien enrobés de ghee. Ajouter l'eau et porter à ébullition.

Réduire le feu, incorporer la moitié du jus de citron, le sel
et le curcuma, et couvrir hermétiquement. Laisser mijoter
8 à 10 minutes sans ôter le couvercle, jusqu'à ce que
le riz soit tendre et que tout le liquide soit absorbé.

Éteindre le feu et incorporer le zeste de citron et le jus
de citron restant à l'aide de deux fourchettes. Couvrir
de nouveau et laisser reposer 5 minutes avant de servir.

Chips de bananes

Pour 4 personnes

4 bananes plantains mûres

1 cuil. à café de poudre de curry, relevée selon son goût

huile végétale ou d'arachide, pour la friture

chutney de mangue, en accompagnement

Peler les bananes, couper en rondelles de 3 mm d'épaisseur et mettre dans une terrine. Saupoudrer de poudre de curry et mélanger délicatement avec les mains.

Dans un wok, une sauteuse ou une casserole à fond épais, chauffer l'huile de friture à 180 °C, un dé de pain doit y brunir en 30 secondes. Ajouter quelques rondelles de bananes et faire frire 2 minutes, jusqu'à ce qu'elles soient dorées.

Retirer les chips du wok à l'aide d'une écumoire et égoutter sur du papier absorbant froissé. Répéter l'opération avec les rondelles de bananes restantes et servir chaud accompagné de chutney à la mangue.

Sambal
à la noix de coco

Pour 140 g

½ noix de coco fraîche
ou 125 g de noix
de coco déshydratée
non sucrée

2 piments verts frais,
épépinés ou non, selon
son goût, et hachés

1 morceau de gingembre
frais de 2,5 cm, pelé
et finement haché

4 cuil. à soupe de coriandre
fraîche hachée

2 cuil. à soupe de jus
de citron, ou plus selon
son goût

2 échalotes, très finement
hachées

En cas d'utilisation d'une noix de coco fraîche entière, percer un « œil » à l'aide d'un marteau et d'un gros clou. Vider l'eau de la noix de coco et la réserver. Briser la noix de coco à l'aide du marteau, ouvrir et hacher la chair.

Mettre la chair de noix de coco et les piments dans un robot de cuisine et mixer 30 secondes, jusqu'à ce que le tout soit finement haché. Ajouter le gingembre, la coriandre et le jus de citron, et mixer de nouveau.

Si la préparation semble trop sèche, incorporer 1 cuillerée à soupe de l'eau de coco réservée ou d'eau. Ajouter les échalotes et servir immédiatement, ou couvrir et réserver au réfrigérateur. Ce plat se conserve 3 jours au réfrigérateur.

Chutney de mangue

Pour 250 g

1 grosse mangue,
400 g environ, pelée,
dénoyautée et finement
hachée

2 cuil. à soupe de jus
de citron vert

1 cuil. à soupe d'huile
végétale ou d'arachide

2 échalotes, finement
hachées

1 gousse d'ail, finement
hachée

2 piments verts frais,
épépinés et finement
émincés

1 cuil. à café de graines
de moutarde noires

1 cuil. à café de graines
de coriandre

5 cuil. à soupe de sucre
roux

5 cuil. à soupe de vinaigre
de vin blanc

1 cuil. à café de sel

1 pincée de gingembre
en poudre

Mettre la mangue dans une terrine non métallique, ajouter le jus de citron vert et réserver.

Dans une grande poêle, chauffer l'huile à feu moyen à vif, ajouter les échalotes et faire revenir 3 minutes. Ajouter l'ail et les piments, et faire revenir sans cesser de remuer encore 2 minutes, jusqu'à ce que les échalotes soient tendres sans avoir bruni. Ajouter les graines de moutarde et de coriandre, et faire revenir sans cesser de remuer.

Ajouter la mangue avec le sucre, le vinaigre, le sel et le gingembre, et faire revenir sans cesser de remuer. Réduire le feu et laisser mijoter 10 minutes, jusqu'à ce que le liquide épaississe et que la mangue devienne collante.

Retirer du feu et laisser refroidir complètement. Transférer dans un récipient hermétique, couvrir et laisser reposer 3 jours au réfrigérateur avant utilisation. Conserver au réfrigérateur et consommer dans la semaine.

Raïta

Pour 4 à 6 personnes

1 gros morceau
de concombre, 300 g
environ, rincé

1 cuil. à café de sel

400 ml de yaourt nature

½ cuil. à café de sucre

1 pincée de cumin
en poudre

2 cuil. à soupe de coriandre
fraîche hachée
ou de menthe

poudre de piment,
en garniture

Étaler un torchon sur le plan de travail. Râper grossièrement le concombre non pelé directement sur le torchon. Saupoudrer de ½ cuillerée à café de sel, refermer le torchon sur le concombre et presser de façon à exprimer l'excédent d'eau.

Mettre le yaourt dans une terrine et incorporer le sel restant, le sucre et le cumin. Ajouter le concombre et bien mélanger. Rectifier l'assaisonnement. Couvrir et réserver au réfrigérateur.

Incorporer la coriandre hachée, transférer dans un plat de service et saupoudrer de poudre de piment. Servir immédiatement.

Pickle de citrons verts

Pour 225 g

12 citrons verts, coupés en deux et épépinés

115 g de sel

70 g de poudre de piment

25 g de poudre de moutarde

25 g de fenugrec en poudre

1 cuil. à soupe de curcuma en poudre

300 ml d'huile de moutarde

15 g de graines de moutarde jaunes, pilées

½ cuil. à café d'asa foetida

Couper chaque citron vert en quatre, les mettre dans un récipient stérilisé et saupoudrer de sel. Couvrir et laisser reposer 10 à 14 jours près d'une source de chaleur, jusqu'à ce que les citrons verts soient bruns.

Mélanger la poudre de piment, la poudre de moutarde, le fenugrec et le curcuma, et ajouter aux citrons verts. Bien mélanger, couvrir de nouveau et laisser reposer encore 2 jours.

Transférer la préparation dans une terrine résistant à la chaleur. Chauffer l'huile de moutarde dans une poêle à fond épais.

Ajouter les graines de moutarde et l'asa foetida, et cuire sans cesser de remuer jusqu'à ce que l'huile soit très chaude et commence à fumer. Verser l'huile et les épices sur la préparation à base de citrons verts et bien mélanger. Couvrir et laisser refroidir. Transférer dans un bocal stérilisé, sceller et laisser reposer 1 semaine près d'une source de chaleur avant de servir.

Chutney de piments et d'oignons

Pour 225 g

1 ou 2 piments verts frais,
épépinés ou non,
selon son goût,
et finement hachés

1 petit piment oiseau,
épépiné ou non,
selon son goût,
et finement haché

1 cuil. à soupe de vinaigre
de vin blanc
ou de vinaigre de cidre

2 oignons, finement hachés

2 cuil. à soupe de jus
de citron frais

1 cuil. à soupe de sucre

3 cuil. à soupe de coriandre
fraîche hachée,
de menthe ou de persil,
ou encore un mélange
de fines herbes

sel

fleur de piment,
en garniture

Mettre les piments dans une petite terrine non métallique, ajouter le vinaigre et bien mélanger. Égoutter le tout, remettre dans la terrine et incorporer les oignons, le jus de citron, le sucre et les fines herbes. Saler à volonté.

Laisser reposer à température ambiante ou couvrir et mettre 15 minutes au réfrigérateur. Servir garni d'une fleur de piment.